BestMasters

Mit „BestMasters" zeichnet Springer die besten Masterarbeiten aus, die an renommierten Hochschulen in Deutschland, Österreich und der Schweiz entstanden sind. Die mit Höchstnote ausgezeichneten Arbeiten wurden durch Gutachter zur Veröffentlichung empfohlen und behandeln aktuelle Themen aus unterschiedlichen Fachgebieten der Naturwissenschaften, Psychologie, Technik und Wirtschaftswissenschaften. Die Reihe wendet sich an Praktiker und Wissenschaftler gleichermaßen und soll insbesondere auch Nachwuchswissenschaftlern Orientierung geben.

Springer awards "BestMasters" to the best master's theses which have been completed at renowned Universities in Germany, Austria, and Switzerland. The studies received highest marks and were recommended for publication by supervisors. They address current issues from various fields of research in natural sciences, psychology, technology, and economics. The series addresses practitioners as well as scientists and, in particular, offers guidance for early stage researchers.

Philipp Goldbach

Entwicklung einer interaktiven Wirbelsäule inklusive gamifizierter Lernanwendung

 Springer Vieweg

Philipp Goldbach
Lübeck, Deutschland

Masterarbeit, Universität zu Lübeck, 2023

ISSN 2625-3577 ISSN 2625-3615 (electronic)
BestMasters
ISBN 978-3-658-42744-3 ISBN 978-3-658-42745-0 (eBook)
https://doi.org/10.1007/978-3-658-42745-0

Die Deutsche Nationalbibliothek verzeichnet diese Publikation in der Deutschen Nationalbibliografie; detaillierte bibliografische Daten sind im Internet über http://dnb.d-nb.de abrufbar.

Planung/Lektorat: Carina Reibold
Springer Vieweg ist ein Imprint der eingetragenen Gesellschaft Springer Fachmedien Wiesbaden GmbH und ist ein Teil von Springer Nature.
Die Anschrift der Gesellschaft ist: Abraham-Lincoln-Str. 46, 65189 Wiesbaden, Germany

Das Papier dieses Produkts ist recyclebar.

Danksagung

An dieser Stelle möchte ich mich bei all denjenigen bedanken, die mich während meines Studiums begleitet und somit auf individuelle Weise zum Gelingen dieser Arbeit beigetragen haben.

Zuerst möchte ich meinen Dank an Prof. Dr. Andreas Schrader für die Ausgabe und Prüfung dieser Arbeit richten. Ebenso möchte ich mich bei Lea Brandl für die angenehme und wertvolle Betreuung dieser Arbeit bedanken. Beiden danke ich ebenfalls für ihre anhaltende Geduld und der Hilfestellung bei der Themenfindung zu dieser Arbeit. Zudem danke ich Dr. Kristina Flägel für ihre Einflüsse auf die Arbeit aus der Perspektive der medizinischen Lehre.

Nicht in Worte zu fassen ist die Dankbarkeit, die ich meinen Eltern gegenüber empfinde. Ich danke euch für die Unterstützung, die mir im Laufe meines Studiums auf unterschiedliche Weise zuteilwurde. Außerdem möchte ich mich bei meinen engsten Freunden Fabian, Lena, Luisa, Jens, Paolo und Tilda für die unerlässliche Hilfe in der kritischen Endphase dieser Arbeit bedanken. Besonderen Dank widme ich zudem meinem Bruder Dennis für die akkurate und ausführliche Korrekturlesung dieser Arbeit bis ins kleinste Detail. Meinen abschließenden Dank widme ich Susan für jeden Dialog bezüglich dieser Arbeit, um verworrene Gedanken zu interessanten Ideen zu formen und über diese Arbeit hinaus für jedes geschenkte Lachen, jeden unbeschwerten Moment und alle noch so kleinen Gesten, die mir stets dabei geholfen haben auch den größten Herausforderungen mutig entgegenzutreten.

Kurzfassung

Hintergrund: Die Gestaltung der medizinischen Lehre ist häufig durch Frontalunterricht und dem Einsatz von Medien mit einem geringen Nachhaltigkeitseffekt bei der Informationsaufnahme geprägt, obwohl Studienergebnisse einen positiven Effekt bei der multimedialen, modellgestützten Präsentation der Lehrinhalte bestätigen. Der Mangel an diversen Lehrmethoden und die damit einhergehenden Schwierigkeiten bei der Nachvollziehbarkeit komplexer Lehrinhalte kann bei Studierenden zum Verlust der akademischen Motivation und letztlich zum Studienabbruch führen.

Methodik: In dieser Arbeit wurden im Rahmen einer Analyse die Bedarfe von Studierenden und Dozierenden in der medizinischen Lehre untersucht. Dies erfolgte durch die Beobachtung einer Lehrveranstaltung und Interviews mit Dozierenden aus dem Bereich der Anatomie-Lehre sowie der Identifikation von Bedarfen Studierender im Lernprozess. Basierend auf den erfassten Anforderungen wurde ein interaktives, plastisches Anatomie-Modell und einer zugehörigen Lernanwendung konzipiert. Damit können Lehrinhalte multimedial präsentiert werden, als auch die Anatomie der Wirbelsäule selbstbestimmt exploriert werden. Zudem wurde das Konzept der Gamifizierung im Lernprozess angewandt, um eine unterhaltende und motivierende Lernanwendung zur selbstständigen Wissensüberprüfung zu entwickeln.

Ergebnisse: Neben der Entwicklung des konzipierten Systems wurde im Rahmen eines Usability Tests dessen Gebrauchstauglichkeit untersucht und bestätigt. Ebenfalls wurde der Nutzen in Form einer Akzeptanzstudie durch Dozierende und Studierende evaluiert und stieß dabei auf eine positive Resonanz und zahlreicher Erweiterungsideen.

Schlussfolgerung: Das positive Feedback zur Lernförderlichkeit und Motivationssteigerung lässt vermuten, dass mit einer Weiterentwicklung des Systems weitere identifizierte Bedarfe von Studierenden und Dozierenden gedeckt werden können. Zudem wurden im Rahmen der Akzeptanzstudie zahlreiche Erweiterungsideen erfasst, welche auf eine hohe Akzeptanz der entwickelten Bildungstechnologie schließen lässt. Das erfasste Feedback beruht jedoch auf subjektiven Meinungen und prognostizierten Einschätzungen der Proband:innen, weshalb eine umfassendere Evaluation mit empirischer Datenerhebung und objektiven Messergebnissen unabdingbar ist, um einen Nachweis zum Nutzen erhalten zu können. Des Weiteren wird bei der Weiterentwicklung ein User-centered Design Prozess empfohlen um den Anforderungen der Nutzergruppen gerecht werden zu können.

Schlüsselwörter: Educational Technology · Gamification · Academic Motivation · Continuous Learning · Cummulative Learning · Facilitated Learning · Tangible User Interface

Abstract

Background: The design of medical teaching is often characterised by frontal teaching and the use of media with a low sustainability effect on the intake of information, although study results confirm a positive effect with multimedia, model-based presentation of teaching content. The lack of diverse teaching methods and the associated difficulties in comprehending complex teaching content can lead to a loss of academic motivation among students and ultimately to them dropping out of their studies.

Methodology: In this work, the needs of students and lecturers in medical teaching were investigated within the framework of an analysis. This was done by observing a course and interviews with lecturers from the field of anatomy teaching as well as the identification of students' needs in the learning process. Based on the collected requirements, an interactive, plastic anatomy model and an associated learning application were designed. This allows teaching content to be presented in multimedia form and allows students to explore the anatomy of the spine in a self-determined manner. In addition, the concept of gamification was applied to the learning process in order to develop an entertaining and motivating learning application for self-determined knowledge verification.

Results: In addition to the development of the designed system, its usability was examined and confirmed within the framework of a usability test. The usefulness was also evaluated in the form of an acceptance study by lecturers and students and met with a positive response and numerous ideas for expansion.

Conclusion: The positive feedback on the learning supportiveness and motivation enhancement suggests that additional identified needs of students and lecturers can be met with a further development of the system. In addition, numerous ideas for enhancements were recorded in the acceptance study, which suggests a high level of acceptance of the educational technology developed. However, the feedback recorded is based on subjective opinions and predicted assessments of the participants, which is why a more comprehensive evaluation with empirical data collection and objective measurement results is indispensable in order to be able to obtain proof of the benefits. Furthermore, a user-centred design process is recommended for further development in order to meet the requirements of the user groups.

Keywords: Educational Technology · Gamification · Academic Motivation · Continuous Learning · Cummulative Learning · Facilitated Learning · Tangible User Interface

Inhaltsverzeichnis

1 Einleitung 1
  1.1 Szenario 4
  1.2 Vorgehensweise 6
  1.3 Stand der Technik 7
      1.3.1 Educational Technology 8
      1.3.2 Educational Software 11
      1.3.3 Tangible User Interfaces 13
      1.3.4 Gamification 17
2 Anforderungsanalyse 23
  2.1 Initiale Aufgabenanalyse 24
      2.1.1 Situation of Concern 24
      2.1.2 Mission Statement 27
  2.2 Vertiefte Aufgabenanalyse 29
      2.2.1 Beobachtung 29
      2.2.2 Interview 30
  2.3 Benutzeranalyse 33
      2.3.1 Identifikation von Benutzergruppen 34
  2.4 Spielertypen 39
      2.4.1 Nutzen von Spielertypen 40
      2.4.2 Spielertypen nach dem Modell von Bartle 40
      2.4.3 Kritik an Bartles Taxonomie 41
      2.4.4 Erweiterung des Modells von Bartle: Spielertypen
             nach Van Gaalen 42
  2.5 Personas 44
      2.5.1 Dozentin 45
      2.5.2 Student 46

2.6   Kontextanalyse   48
       2.6.1   Organisatorische Bedingungen   48
       2.6.2   Räumliche Bedingungen   50
       2.6.3   Zeitliche Bedingungen   51
2.7   Zusammenfassung: Resultierende benutzerbezogene
       Anforderungen   53

3 Technische Analyse   57
3.1   Beteiligte Komponenten   57
       3.1.1   Interaktive Wirbelsäule   58
       3.1.2   Bildungssoftware   60
       3.1.3   Lernplattform (Moodle)   61
3.2   Kommunikationstechnologie   62
       3.2.1   Erforderliche Datenübertragungsrate   62
       3.2.2   Häufigkeit der Übertragung   64
3.3   Übertragungsrichtung   66
3.4   Mobilität und Reichweite   67
3.5   Nutzbare Übertragungstechnologien   68
3.6   Energieversorgung   70
3.7   Spiel-Engine   71
3.8   Zusammenfassung: Resultierende technische
       Anforderungen   73

4 Konzeption   77
4.1   Systemarchitektur   78
       4.1.1   Kommunikationstechnologie   80
       4.1.2   Nachrichtenformat   81
4.2   Situation der Nutzenden   83
       4.2.1   Benutzersicht: Dozierende   83
       4.2.2   Benutzersicht: Studierende   85
4.3   Game-Design   88
       4.3.1   Identifikation bevorzugter Spielmechaniken   89
       4.3.2   Konzept zur Integration der Spielmechaniken   91
4.4   User Interface   101
       4.4.1   TUI: Interaktive Wirbelsäule   101
       4.4.2   TUI: Moduswechsel   104
4.5   Bildungssoftware: Explorationsmodus   104
4.6   Bildungssoftware: Lernspiel   106
       4.6.1   Lernkapitelübersicht   107
       4.6.2   Quizmodus   108

5 Realisierung 111
  5.1 TUI 111
  5.2 Lernanwendung 113
     5.2.1 Exploration 114
     5.2.2 Lernspiel 115
  5.3 Schnittstellen 117

6 Evaluation 119
  6.1 Evaluationsdesign 119
  6.2 Evaluationsergebnisse 120
     6.2.1 Usability Test 121
     6.2.2 Akzeptanzstudie 124

Diskussion 131

Ausblick 135

Zusammenfassung 139

Literaturverzeichnis 143

Abbildungsverzeichnis

Abbildung 1.1   Ermittelte aktuelle Trends im Bereich Educational
Technology anhand einer Internetrecherche.
(Stand: Oktober 2022) 10

Abbildung 2.1   Verteilung der Lerntypen unter
Medizinstudierenden. (Nach Vorlage
[66]) 26

Abbildung 2.2   Spielertypen nach dem Modell von Richard
Bartle. (Nach Vorlage [105]) 41

Abbildung 2.3   Verteilung der Spielertypen unter Studierenden im
Fachbereich Medizin der Universität Groningen.
(Nach Vorlage [20]) 43

Abbildung 2.4   Persona Dr. Eichmann 45

Abbildung 2.5   Persona Lukas 47

Abbildung 3.1   Kommunikationsteilnehmer und deren
Verbindungsrichtungen 66

Abbildung 4.1   Systemarchitektur der konzipierten verteilten
Anwendung mit beteiligten Hauptkomponenten
und zugehörigen Kommunikationsverbindungen 79

Abbildung 4.2   Nachrichtenformat zur Übertragung von
Benutzerinteraktionen 81

Abbildung 4.3   Situation der Benutzergruppe «Dozierende»
während der Demonstration mithilfe der
interaktiven Wirbelsäule 84

Abbildung 4.4   Situation der Benutzergruppe der Studierenden
während der Demonstration mithilfe der
interaktiven Wirbelsäule 86

Abbildung 4.5   Situation der Benutzergruppe der Studierenden
                 bei Nutzung der gamifizierten Lernanwendung 87
Abbildung 4.6   Bevorzugte Spielmechaniken der Spielertypen
                 «Social Achiever» (a) und «Explorer» (b).
                 Vorlage Van Gaalen et. al Befragungsergebnisse
                 [20] 90
Abbildung 4.7   Visualisierung des Spielerfortschritts in der
                 Videospiel-Reihe *Pokémon*. Bilder von *Pokémon*
                 Wiki [184] 93
Abbildung 4.8   Hierarchische Anordnung der Lernkapitel in der
                 Lernsoftware *Duolingo* [185] 95
Abbildung 4.9   Visualisierung der erreichten Stufe eines
                 Lernkapitels in der Sprachlern-Anwendung
                 Duolingo [185] 96
Abbildung 4.10   Darstellung der Lebensenergie in vielen
                 kampfbasierten Videospielen. Jedes gefüllte Herz
                 stellt einen noch verfügbaren Trefferpunkt dar 97
Abbildung 4.11   Gegenüberstellung der von Lucas Blair definierten
                 Kategorien «Completion Achievement» (a) und
                 «Measurement Achievement» (b) 100
Abbildung 4.12   Konzept zum systemtechnischen Aufbau der
                 interaktiven Wirbelsäule 103
Abbildung 4.13   Mockup zur *GUI* der Bildungssoftware im
                 Explorationsmodus 106
Abbildung 4.14   Mockup zur *GUI* der Bildungssoftware im
                 Lernspiel 107
Abbildung 4.15   Mockup zur *GUI* der Bildungssoftware inmitten
                 eines Quiz 109
Abbildung 4.16   Mockup zum Feedback Screen nach Abschluss
                 eines Quiz 110
Abbildung 5.1   Übersicht zur Realisierung der interaktiven
                 Wirbelsäule als *TUI* 112
Abbildung 5.2   Übersicht zum realisierten Explorationsmodus zur
                 Erkundung der menschlichen Wirbelsäule 114
Abbildung 5.3   Übersicht der Kapitelauswahl im Lernspiel 115
Abbildung 5.4   Übersicht inmitten eines Quiz zum Thema der
                 Wirbelsäule 116
Abbildung 5.5   Übersicht zu erreichten oder noch zu erreichenden
                 Erfolgen im Lernspiel 117

Abbildung 6.1   Visualisierung der Abweichung zwischen dem
                 Cursor (weißer Pfeil) und Hotspot (roter Kreis).
                 Jeweils links ist die Abweichung vor der
                 Fehlerkorrektur angezeigt, sowie jeweils rechts
                 die Abweichung nach der Fehlerkorrektur. Die
                 Abweichung verstärkt sich bei Verringerung des
                 Zoomfaktors (Vergleich a und b) 122

Abbildung 6.2   Label zur selektierten Strukturen überlappen sich,
                 sofern die Strukturen unmittelbar aneinander
                 liegen 123

Abbildung 6.3   Evaluationsergebnis bezüglich des Nutzens
                 zur Anzeige des räumlichen Kontexts einer
                 selektierten Struktur 125

Abbildung 6.4   Evaluationsergebnis zu weiteren gewünschten
                 Medien in der Informationsleiste des
                 Explorationsmodus 126

Abbildung 6.5   Evaluationsergebnis bezüglich der Bewertung
                 der in der Lernsoftware eingesetzten
                 Gaming-Elemente und Spielmechaniken 128

Abbildung 6.6   Evaluationsergebnis bezüglich der Strukturierung
                 der Lehrinhalte in diverse Lernkapitel 128

Abbildung 6.7   Evaluationsergebnis zur Einschätzung der
                 Lernanwendung bezüglich unterhaltender,
                 motivierender und lernförderlicher Effekte 129

Tabellenverzeichnis

Tabelle 1.1 Die drei populärsten Trends im Bereich der
Bildungstechnologie 10

Tabelle 2.1 Anforderungen auf Grundlage recherchierten
Problemstellungen in der Lehre und Möglichkeiten
zur Umgestaltung der Lehrmethodik 28

Tabelle 2.2 Anforderungen auf Basis der Analyse der
Einsatzumgebung 33

Tabelle 2.3 Anforderungen nach Untersuchung der
Benutzergruppen und ihrer Bedarfe innerhalb der
Lehre 39

Tabelle 2.4 Spielertypen nach dem erweiterten Modell von Van
Gaalen 42

Tabelle 2.5 Anforderungen nach einer Prädiktion der Spielertypen
unter Medizinstudent:innen und Untersuchung der
Effekte von Gamification in Lernanwendungen 44

Tabelle 2.6 Anforderungen nach Analyse des Systemumfelds und
organisatorischer Strukturen des Einsatzgebiets 52

Tabelle 2.7 Zusammenfassung der aus den vorangegangenen
Analysen resultierenden Anforderungen an das zu
entwickelnde interaktive System 53

Tabelle 3.1 Technische Anforderungen nach Untersuchung
der beteiligten Komponenten und deren benötigter
technischer Ressourcen 62

Tabelle 3.2 Anforderungen an die Datenübertragungsrate 66

Tabelle 3.3 Anforderungen bezüglich der Übertragungsrichtungen 67

Tabelle 3.4   Anforderungen an die Mobilität, Reichweite und
               Anbindung an die Lernplattform *Moodle*   68
Tabelle 3.5   Vergleich der nutzbaren Übertragungstechnologien
               Bluetooth und *WiFi*   70
Tabelle 3.6   Populäre Kriterien bei Auswahl einer *Spiel-Engine* für
               Gaming Projekte   72
Tabelle 3.7   Anforderungen an die verwendete *Spiel-Engine* und
               der Lernanwendung   73
Tabelle 3.8   Zusammenfassung der technischen Anforderungen zur
               Umsetzung der verteilten Anwendung bestehend aus
               dem interaktiven Wirbelsäulenmode, der gamifizierten
               Lernanwendung und der Lernplattform *Moodle*   74

Einleitung

Lernen ist eine der elementarsten menschlichen Tätigkeiten [1]. Das Erlangen neuer Kenntnisse kann dem Menschen persönliche und berufliche Vorteile verschaffen [2]. In Erwartung einer fundierten und zukunftsebnenden akademischen Ausbildung entscheiden sich viele Menschen in Deutschland daher für ein Studium an einer Hochschule [120]. Doch einer kontinuierlich wachsenden Anzahl an Studierenden [120] steht eine standhafte Quote zum Abbruch des Studiums von ca. 30% gegenüber [3]. Studierende sind im Studium mit unterschiedlichen Problemen konfrontiert. Diese reichen von Überforderung und Motivationsverlust über Versagensangst bis hin zu Depressionen, welche letztlich zum Studienabbruch führen können [5].

Eine mögliche Ursache, die zum Verlust der Motivation führen kann, ist die mangelnde Unterstützung diverser Lernmethoden der Studierenden [5]. Viele Studierende wünschen sich in ihrer akademischen Ausbildung eine Umgestaltung zu einer interaktiven Form der Lehre [5]. Besonders die multimediale Präsentation von Lehrinhalten wie auch die Darstellung der Lernthemen in Modellen oder Simulationen wird dabei bevorzugt [6]. Doch so individuell die bevorzugten Lernmethoden der Studierenden sind, so kanonisch und starr ist die Lehrmethodik an vielen Hochschulen [5].

> «If we teach today's students, as we taught yesterday's, we rob them of tomorrow.» –
> *John Dewey, 1917*

Nach über 100 Jahren dieser Erkenntnis von Dewey, dass eine Umgestaltung der Lehre notwendig wird, ist die Struktur der Lehre in den Grundfesten gleichgeblieben [121]. Die akademische Lehre gestaltet sich in den meisten Fällen durch Frontalunterricht und dem Einsatz von scheinbar bewährten Medien wie Texten, statischen Bildern und den gesprochenen Worten der Dozierenden [5]. Diese Form der Informationsvermittlung spricht jedoch die wenigsten Studierenden an [5]. Um ebenfalls

P. Goldbach, *Entwicklung einer interaktiven Wirbelsäule inklusive gamifizierter Lernanwendung*, BestMasters, https://doi.org/10.1007/978-3-658-42745-0_1

die Bedarfe von Studierenden bei einer Restrukturierung der Lehre zu berücksichti-
gen, ist es daher von entscheidender Bedeutung auch Studierende in diesem Prozess
zu involvieren [7]. Viele wünschen sich eine erhöhte Interaktion und praxisbezoge-
nes Lernen in Form des praktischen Ausprobierens im Bezug auf die zu vermittelnde
Thematik [5]. Komplexe Systeme wie beispielsweise die holistische Anatomie des
Menschen sind durch die textuelle Beschreibung, statische Bilder oder gesprochene
Worte schwer begreifbar [8] [9] [10][11]. Hierbei konnte festgestellt werden, dass
Modelle und Simulationen im Bereich der Lehre große Erfolge erzielen können [6].

«I believe that the motion picture is destined to revolutionize our educational system
and that in a few years it will supplant largely, if not entirely, the use of textbooks.» –
Thomas Edison, 1922

Nach über 100 Jahren dieser Einschätzung von Edison ist jedoch der Einsatz von
Text und statischen Bildern vorwiegend bei der Gestaltung der Lehre [122]. Ein
Ansatz zur Umgestaltung der Lehrinfrastruktur zu einem durch neue Technologien und digitale Medien gestützten Lehrprozess verfolgen Bildungstechnologien
[12]. Sie bezeichnen weit umfassend jegliche Technologie, die eine Unterstützung
im Lehr- und Lernprozess ermöglicht. Bildungstechnologien verfolgen dabei unter
anderem das Ziel, die Lehre in einen interaktiven Prozess umzugestalten, sodass
die lehrende Person nicht als alleiniger Wissensvermittler fungiert [12]. So können
Bildungstechnologien unter anderem in Form von greifbaren Lehrmedien auftreten, welche als interaktive Modelle genutzt werden können, um Themenkomplexe
in explorativer Form zu erlernen [13]. Gleichzeitig dient diese physische Repräsentation des Sachverhalts dazu, den Grenzen der menschlichen Vorstellungskraft
entgegenzuwirken, indem komplexe Vorgänge mithilfe der Modelle präsentiert oder
simuliert werden [6].

Um zusätzlich zur anschaulicheren Präsentation der Lehrinhalte und Umgestaltung der Lehr- und Lernmethodik eine motivierende Lernumgebung zu schaffen,
dient der Ansatz der Gamifizierung im Bereich der Lehre [14]. Dabei soll durch
die Einbettung von Spiele-Elementen eine Umwandlung des Lernprozesses in eine
unterhaltende und gleichzeitig lehrreiche Aktivität erreicht werden [15]. Ziel ist es,
eine Steigerung der Motivation sowie eine Förderung des selbstinitiierten Lernens
zu erreichen [15]. Denn der Mangel an Motivation ist ein entscheidender Faktor,
der letztendlich zum Abbruch des Lernen oder eines Studiums führen kann [5].
Ebenso ist die Aktivität des wiederholten Lernens notwendig, um Wissen nachhal-
tig zu speichern [16], was durch den Einsatz geeigneter Spiele-Elemente gefördert
werden kann [15].

Relevanz der Arbeit

Bislang ist nicht definiert wie eine Bildungstechnologie gestaltet sein muss, damit sie einen positiven Einfluss auf den Lernprozess und der damit einhergehenden Steigerung des Lernerfolgs nehmen kann [17][18]. Zudem werden die Einflüsse greifbarer Lehrmedien häufig nur beim Lernverhalten von Kindern untersucht. Hierbei gilt es herauszufinden, ob diese nicht auch in der Erwachsenenbildung Vorteile beim Lernen mit sich bringen können. Des Weiteren kann bei der Gamifizierung des Lernprozesses oder bei der Gestaltung einer gamifizierten Lernanwendung nicht eindeutig festgelegt werden, welche Spielmechaniken in welchem Themenbereich geeignet sind. Zudem ist das Spielen und somit das spielerische Lernen ein kreativer Prozess, der nicht durch eine allgemeingültige Anreicherung von Spielelementen in einer Lernanwendung oder Bildungstechnologie erzwungen werden kann [19]. Eine schwierige Aufgabe ist es hierbei ein geeignetes Gleichgewicht aus Spielspaß und Informationsvermittlung zu finden [20].

Zielsetzung

Nichtsdestotrotz wird im Rahmen dieser Arbeit ein Konzept erstellt, sowie die Umsetzung einer interaktiven Bildungstechnologie für den Bereich der medizinischen Lehre vorgenommen. Die Zielsetzung dieser Arbeit ist daher die Entwicklung einer interaktiven Bildungstechnologie in Form einer tangiblen Wirbelsäule, welche sowohl Dozierende als auch Studierende im Bereich der medizinischen Lehre im Lehr- und Lernprozess unterstützen soll. Darüber hinaus wird eine zugehörige Lernanwendung zur multimedialen Präsentation der Lehrinhalte entwickelt. Diese soll Studierenden als Lernunterstützung in Form eines separaten Lernmodus dienen, welcher durch Anreicherung mit Spiel-Elementen eine unterhaltende und motivierende Lernatmosphäre schaffen soll. Die Konzeption und Entwicklung dieser Bildungstechnologie soll dabei unter Berücksichtigung der Bedarfe von Dozierenden sowie Studierenden und deren verschiedener Lernmethoden durchgeführt werden. Dabei soll der Fokus auf einer möglichst reibungslosen Integration der Technologie in die bestehende Lehrinfrastruktur liegen. Um Erkenntnisse zur nutzbringenden Gestaltung bezüglich einer interaktiven Bildungstechnologie im Bereich der medizinischen Lehre sowie einer zugehörigen gamifizierten Lernanwendung ableiten zu können, soll eine abschließende Evaluation dienen. Hierbei wurden Dozierende sowie Studierende befragt, ob sie die entwickelte Bildungstechnologie als nützliches Hilfsmittel im Lehr- und Lernprozess ansehen. Zudem soll untersucht werden, welche positiven Einflüsse im Bezug auf den Lernprozess erreicht werden können, sofern eine an die Nutzergruppen angepasste Gamifizierung der Lernanwendung stattgefunden hat.

Forschungsfragen

Zusammengefasst sollen mithilfe dieser Arbeit somit folgende Forschungsfragen
geklärt werden:

F1   Wie kann ein interaktives Lehrmedium in Form eines technologisierten, plastischen Modells den Wissenstransfer bei der Vermittlung eines komplexen Sachverhalts im Kontext der menschlichen Anatomie verstärken?

F2   Welchen Einflüssen unterliegt der Verlust der akademischen Motivation von
Studierenden und inwiefern kann diesem mithilfe einer unterstützenden Lernanwendung entgegengewirkt werden?

F3   Welche positiven Einflüsse auf den Lernprozess können durch die Gamifizierung einer Lernanwendung erreicht werden?

Anhand des nachfolgenden Szenarios soll veranschaulicht werden, wie der Einsatz
der geplanten Bildungstechnologie in Form einer interaktiven Wirbelsäule einen
Einfluss auf den Lehr- und Lernprozess nehmen kann, mit dem Versuch den genannten Problemen von Studierenden im Studium entgegenzuwirken.

1.1   Szenario

Jana Eichmann ist Dozentin an der *Universität zu Lübeck (UzL)* und unterrichtet im
Modul *Untersuchungskurs für Allgemeinmedizin* mit dem Fokus auf der Anatomie
der menschlichen Wirbelsäule. Zur Informationsvermittlung verwendet sie ein Vor-
lesungsskript, welches sie stetig aktualisiert und mit aktuellen Schaubildern ergänzt.
Zudem nutzt sie zur weiteren Veranschaulichung der Vorlesungsinhalte ein physisches Modell einer menschlichen Wirbelsäule. Daran führt sie vor, wie verschiedene anatomische Strukturen verortet werden können und welche therapeutischen
Handlungsschritte bei bestimmten Krankheitsbildern im Rahmen einer klinischen
Untersuchung durchgeführt werden können. Allerdings hat sie das Gefühl, dass
ihre Studierenden den Vorlesungsinhalten nicht immer folgen können. Stellenweise
schaut sie in überforderte oder gelangweilte Gesichter. Sie erwischt sich selbst häufig
dabei, wie sie Studierende bei Vorführung am physischen Modell darauf hinweist,
dass sie sich nun vorstellen müssen, dass verschiedene andere anatomische Strukturen, wie Muskeln oder Bänder, an besprochenem Wirbel anliegen und bei der Verortung berücksichtigt werden müssen. Auch das zusätzlich ausgehändigte Anatomie-
Lehrbuch, welches die besagten umliegenden Strukturen beschreibt, scheint für
viele ihrer Studierenden nicht auszureichen, um sich das anatomische Gesamtsys-
tem vorstellen zu können.

Jana möchte ihre Vorlesung jedoch für ihre Studierenden als nützlich und lohnend gestalten. Sie selbst hat einige negative Erinnerungen an ihr Medizinstudium, bei dem die Wissensvermittlung vorwiegend auf den gesprochenen Worten der Dozierenden und anschließender langer Lernsitzungen in der Bibliothek basierte. Sie recherchiert daher, wie sie ihre Vorlesung interaktiver gestalten kann und stößt dabei auf eine Bildungstechnologie einer interaktiven Wirbelsäule. Das Modell wird mit einer zugehörigen Lernanwendung zur Darstellung umliegender Strukturen wie der Muskulatur und dem Nervensystem ausgeliefert, wodurch ihre Studierenden sich umliegende Strukturen nicht mehr selbst vor Augen führen oder im Buch nachschlagen müssen. Die interaktive Wirbelsäule erfasst zudem ihre Berührung an der Wirbelsäule, wodurch ihre Handlungsschritte bei einer Vorführung im digitalen Abbild durch eine farbliche Kennzeichnung der beteiligten Strukturen hervorgehoben werden und somit nachvollziehbar gemacht werden sollen. Jana gefällt es besonders, dass sie die interaktive Wirbelsäule offenbar ebenso verwenden kann wie ihr konventionelles Wirbelsäulenmodell und sie keine vorherige Schulung benötigt.

Beim Einsatz in der Vorlesung hat Jana das Gefühl, dass ihre Studierenden ihr besser folgen können. Zudem zeichnet sich eine erhöhte Interaktion in ihrer Vorlesung ab: Studierende stellen häufiger Fragen oder möchten die Behandlungsschritte an der Wirbelsäule ebenfalls durchführen.

Lukas ist einer dieser Studierenden, dem die Umgestaltung der Vorlesung von Jana Eichmann sehr zusagt. Er kennt Vorlesungen sonst nur als Frontalunterricht und verbringt seine übrige Zeit an der Universität sonst in der Bibliothek, um sein Verständnis für die vermittelten Inhalte mithilfe von Büchern und Vorlesungsskripten aufzuarbeiten. Seit dem Einsatz der interaktiven Wirbelsäule in der Vorlesung stellt Lukas bei sich selbst eine verkürzte Lernzeit in der Bibliothek fest. Zudem hilft es ihm sehr, dass die interaktive Wirbelsäule in der Bibliothek als Lehrmedium ausgeliehen werden kann, um diese außerhalb der Vorlesung in seinem individuellen Lernprozess nutzen zu können.

In der Lernanwendung kann er mithilfe eines internen Lexikons gezielt Informationen zu ausgewählten Strukturen abrufen, welche er sonst in Büchern hätte recherchieren müssen. Die Erkundung des virtuellen Abbilds der Wirbelsäule hilft ihm dabei die Zusammenhänge der einzelnen Strukturen zu verstehen. Mithilfe eines separaten Lernmodus für Studierende in der Lernanwendung hat er inzwischen eine Lernroutine entwickelt. Einmal pro Woche nutzt er das programminterne Quiz zur Überprüfung seiner Lernfortschritte. So kann er in kürzerer Zeit überprüfen, ob er Lernfortschritte im Bezug auf die Vorlesungsinhalte macht. Durch dieses Feedback fühlt sich das Lernen für ihn weniger als eine Last an und er freut sich auf die kurzen Lernsitzungen an der interaktiven Wirbelsäule. Er wünscht sich daher, dass solche Modelle auch in seinen anderen Anatomie-Kursen Einsatz finden können.

1.2   Vorgehensweise

Das übergeordnete Ziel dieser Arbeit ist die Entwicklung einer Bildungstechnologie im Rahmen der anatomischen Lehre, welche eine Wissensvermittlung auf Basis
einer multimedialen Präsentation von Informationen ermöglicht und gleichzeitig
einen interaktiven Lernprozess begünstigen soll. Dazu wird die Entwicklung des in
im Szenario beschriebenen interaktives Lehrmediums (siehe Abschnitt 1.1), in Form
einer interaktiven Wirbelsäule angestrebt. Außerdem soll eine zugehörigen Lernanwendung entwickelt werden, welche ein digitales Abbild der Wirbelsäule darstellt
und diese mit zusätzlichen Lehrinhalten augmentiert. Dadurch sollen Dozierende
bei der Gestaltung ihrer Lehre sowie Studierende im Lernprozess unterstützt werden.

In einem ersten Schritt wird in Form einer Untersuchung zum Stand der Technik
nach vergleichbaren interaktiven und tangiblen Bildungstechnologien im Bereich
der anatomischen Lehre recherchiert. In diesem Zusammenhang wird ebenfalls das
Prinzip der Gamifizierung speziell im Bereich von Bildungstechnologie untersucht
und welche Einflüsse diese bei vergleichbaren Bildungstechnologien auf den Lernprozess nehmen können.

Da es sich bei dem zu entwickelnden System um eine interaktive Technologie
handelt, wird das Verfahren nach Preim und Dachselt zur Entwicklung eines interaktiven Systems angewandt [21]. Dabei wird zunächst eine Aufgabenanalyse in Form
von Interviews mit den potenziellen Anwender:innen sowie eine Beobachtung der
Lehrveranstaltungen durchgeführt, in denen der Einsatz der interaktiven Wirbelsäule vorgesehen ist. Zur Vervollständigung der Anforderungen an das System, wird
zudem eine Benutzeranalyse vorgenommen, um die Bedarfe der Benutzergruppen
der Dozierenden und Studierenden sowie deren Problemstellungen zu erfassen, mit
denen sie sich im aktuellen Stand der Lehre konfrontiert sehen.

Daran anknüpfend erfolgt eine Suche nach verfügbaren Technologien, um die
gestellten Benutzeranforderung realisieren zu können. Diese umfasst eine Analyse geeigneter Sensorik zur Erfassung der an der interaktiven Wirbelsäule getätigten Interaktionen sowie Computertechnologie zur Datenverarbeitung und geeigneter Kommunikationstechnologien zwischen der interaktiven Wirbelsäule und der
Lernanwendung. Zudem wird eine Analyse verschiedener Spiel-Engines durchgeführt, um festzustellen welche zur Realisierung der angestrebten gamifizierten
Lernanwendung geeignet sind.

Auf Grundlage der gestellten Anforderungen wird eine Konzeption der interaktiven Wirbelsäule mitsamt der unterstützten Interaktionsstile vorgenommen. Außerdem erfolgt in dieser Phase der Entwurf bezüglich des *Graphical User Interface
(GUI)* der Lernanwendung sowie eingesetzter Spielmechaniken zur Gamifizierung
des Lernprozesses für Studierende.

In der Realisierungsphase wird die konzipierte Lösung bezüglich der Bildungstechnologie entsprechend der gestellten Anforderungen implementiert. Abschließend erfolgt eine summative Evaluation bezüglich der Gebrauchstauglichkeit der
interaktiven Wirbelsäule sowie der Lernanwendung mithilfe von Usability Experten. Zudem wird summativ eine Akzeptanzstudie in Form einer Meinungsumfrage
mit potenziellen Anwender:innen durchgeführt, um den Nutzen für den Lehr- und
Lernprozess bewerten zu können.

1.3   Stand der Technik

Vor Beginn der Anforderungsanalyse (siehe Kapitel 2) gilt es einen Überblick zu
erhalten wie, ein interaktives Lehrmedium beschaffen sein sollte, um einen positiven Einfluss auf die Lernmotivation sowie den Lernerfolg nehmen zu können. Da
es sich bei dem zu entwickelnden System um ein technisches Lehrmedium handelt, wird dazu der Begriff der Educational Technology (oder Bildungstechnologie) näher betrachtet (siehe Abschnitt 1.3.1). In diesem Zusammenhang werden die
Eigenschaften sowie Ziele und aktuelle Trends von Bildungstechnologie untersucht.

Ein essentieller Bestandteil des geplanten Systems ist die softwarebasierte
Lernanwendung, weshalb zudem der Begriff Educational Software (oder Bildungssoftware) näher untersucht wird (siehe Abschnitt 1.3.2). In diesem Zusammenhang
erfolgt eine Einordnung der Lernanwendung in eine der möglichen Kategorien von
Bildungssoftware. Dabei werden aktuelle und erfolgreiche Beispiele von Bildungssoftware mit einem vergleichbarem Einsatzzweck untersucht, um erste Impulse für
die Gestaltung der geplanten Lernanwendung zu erhalten.

Desweiteren werden in Abschnitt 1.3.3 Beispiele für *Tangible User Interfaces
(TUI)* als Bildungstechnologien betrachtet sowie deren Potenziale und Grenzen im
Bezug auf den Lernprozess. Gleichermaßen wird das Prinzip der Gamifizierung
speziell beim Einsatz in der Lehre beziehungsweise Bildungssoftware untersucht
(siehe Abschnitt 1.3.4). Anhand der Untersuchung aktueller Beispiele für gamifizierte Lernanwendungen sollen erfolgreiche Anwendungen als Vorbild bei der
späteren Konzeption und Gestaltung der Lernanwendung dienen.

1.3.1 Educational Technology

Der Begriff Educational Technology oder Bildungstechnologie ist ein weitgreifender Begriff, der die methodische und technologische Gestaltung der Lehre betrifft. Bildungstechnologie bezeichnet dabei die Erstellung, Bereitstellung und Nutzung von Medien und Technologie zur Verbesserung der Lehre und damit implizit die Verbesserung des individuellen Lernprozesses eines Lernenden. Diese Verbesserung ist dabei so definiert, dass die Technologie eine Steigerung des Lernerfolgs bei gleichzeitiger Erhöhung des Lern-Engagements hervorruft [17]. Sie umfasst sowohl den Einsatz von Software- als auch von Hardwarekomponenten zur Vereinfachung des Lernprozesses, zur Erhöhung des Lernerfolges oder zur Förderung der Zugänglichmachung von Lehrinhalten [12]. Letzteres bedeutet, dass die Inanspruchnahme qualitativer Lehre kein Privileg darstellt und Bildungstechnologie möglichst barrierefrei nutzbar werden soll.

Technologien

Mit dieser weitumfassenden Definition nach Al Januszewski [12] und dem Handbuch zur Forschung an Educational Technology [22] beschreibt der Begriff damit unter anderem die folgenden Technologien:

1. Lernplattformen und Kursmanagementsysteme: Bezeichnet Software zur Verwaltung von Kursen und der Distribution von Lehrmaterial.
2. Digitale Medien: Bezeichnet Medien, welche in digitaler Form vorliegen. Dazu gehören unter anderem Texte, statische Bilder, Videos, Animationen und Simulationen.
3. Informations- und Kommunikationstechnologie: Beinhaltet jegliche Technologie, die im Rahmen der Lehre zum Informationsaustausch genutzt wird.
4. Infrastruktur: Beinhaltet sowohl die für Lernende nutzbaren Computersysteme als auch die technische Infrastruktur, welche unter anderem zur Kommunikation von Studierenden und der Bereitstellung von Lehrmaterial notwendig ist.

Darüber hinaus kann jegliche weitere Technologie als Bildungstechnologie bezeichnet werden, sofern sie der Lehre oder dem Lernprozess dienlich ist.

Ziel

Das übergeordnete Ziel von Bildungstechnologie ist die Anreicherung des Lernprozesses mit Technologie und die Unterstützung des Paradigmas *Facilitated Learning*. Dieser Begriff bezeichnet eine Methode, bei der Lernende einen verstärkten Einfluss auf den eigenen Lernprozess nehmen und die lehrende Person eine unterstützende und moderierende Rolle einnimmt. [12]

Durch die Anreicherung der Lehre mit Technologie soll die traditionelle Lehre insoweit umgestaltet werden, dass die lehrende Person nicht mehr als alleinige:r Wissensvermittler:in fungiert. Lernenden werden technologische Werkzeuge an die Hand gegeben, um den Lernprozess anschaulich und interaktiv zu gestalten. So können, beispielsweise durch den Einsatz von digitalen Medien, die Grenzen der menschlichen Vorstellungskraft überwunden werden, indem Sachverhalte statt durch Texte und statische Bilder unter anderem auch durch Animationen und Simulationen beschrieben werden. Dies bedeutet nicht, dass jede:r Lernende mit Aushändigung der Hilfsmittel für sich alleine lernt. Die eingesetzten Technologien sollen zudem auch das kollaborative Lernen unterstützen [17]. Allerdings konnte noch nicht abschließend erforscht werden, wie die Implementierung von Bildungstechnologie in der Lehre gestaltet sein sollte, um einen effektiveren Lehr- und Lernprozess hervorzurufen [17][23]. Allerdings liegen bereits Studien vor, die einen positiven Einfluss der Bildungstechnologie auf den Lernprozess feststellen konnten. Je nach Einsatz der Technologie kann sie allerdings auch einen negativen Einfluss auf den Lernerfolg hervorrufen, zum Beispiel im Falle einer Überforderung der Lernenden durch die Technologie.

Aktuelle Trends

Zur Umsetzung des übergeordneten Ziels von Bildungstechnologie, nämlich der Verbesserung der Lehre durch den Einsatz von Technologie, werden unterschiedliche Trends verfolgt. Zur Auflistung der aktuellen Trends (Stand: Oktober 2022) wurde dazu eine Internetrecherche durchgeführt. Im Rahmen dieser Recherche wurden dabei insgesamt neun Websites mit einer Auflistung aktueller Trends im Bereich Educational Technology berücksichtigt [123][124][125][126][24][127][128][129] [130]. Die Websites wurden dabei über die Suchmaschine Google mithilfe der Suchbegriffe «Trends» und «Educational Technology» beziehungsweise «Edtech» gefunden. Anschließend wurde eine Rangliste anhand der Häufigkeit der Nennungen von Trends erstellt, welches zu folgendem Ergebnis (siehe Abbildung 1.1) führte:

Basierend auf dieser ermittelten Übersicht über populäre Formen von Bildungstechnologien wurden im Rahmen dieser Arbeit die drei populärsten der ermittelten aktuellen Trends näher betrachtet, um deren Nutzen bei der Entwicklung einer Bildungstechnologie in der medizinischen Lehre an der *UzL* zu berücksichtigen (siehe Tabelle 1.1).

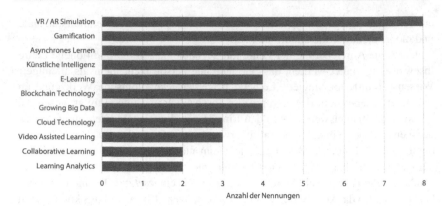

Abbildung 1.1 Ermittelte aktuelle Trends im Bereich Educational Technology anhand einer Internetrecherche. (Stand: Oktober 2022)

Tabelle 1.1 Die drei populärsten Trends im Bereich der Bildungstechnologie

	VR / AR: Nach dieser Auswertung werden aktuell vor allem Anwendungen mit dem Einsatz von Virtueller Realität und Augmentierter Realität eingesetzt. In diesem Zusammenhang wird der Vorteil genannt, dass Lernobjekte aus unterschiedlichen Blickwinkeln betrachtet werden können und Animationen und Simulationen bezüglich zu erlernender Prozesse untersucht werden können [25].
	Gamification: Desweiteren wird deutlich, dass der Einsatz von Spielmechaniken, die üblicherweise in Unterhaltungsmedien Einsatz finden, häufig im Fokus bei der Entwicklung technologisierter Lernumgebungen sind. Durch gamifizierte Anwendungen soll dabei die Lernerfahrung um eine Unterhaltungskomponente erweitert werden, die zu einer erhöhten Lernmotivation und Engagement der Lernenden führen soll. Eine ausführlichere Beschreibung und die erforschten Nutzen dieses Verfahrens werden im nachfolgenden Abschnitt 1.3.4 näher betrachtet.
	Asynchrones Lernen: Ebenfalls häufig genannt ist der Begriff Asynchronen Lernens (oder Flipped Classroom). Bei diesem Vorgehen wird vermehrt auf die Eigeninitiative und der selbstständigen Reflexion bezüglich der Lernthemen durch die Lernenden gesetzt. Dieses Vorgehen ist eng mit dem Begriff des E-Learnings verknüpft, der eine Bereitstellung von Lehrmaterialen beispielsweise über Lernplattformen definiert. Beim asynchronen Lernen können Lernende die so bereitgestellten Lernaufgaben innerhalb eines Zeitrahmens nach eigener Planung bearbeiten. Diese eigenständige Reflexion der Lernthemen kann auch innerhalb von geführten Lernanwendungen erfolgen [26].

Viele Trends basieren auf Softwarelösungen beziehungsweise softwarebasierten Lernanwendungen, welchen einen Teilbereich der Bildungstechnologie darstellen und mit dem Begriff Educational Software bezeichnet werden. Daher wird dieser Begriff im nachfolgenden Abschnitt näher beleuchtet und anhand von Beispielen veranschaulicht.

1.3.2   Educational Software

Nach einer Beschreibung des Medienpädagogen Peter Baumgartner versteht man unter einer Educational Software oder Lernsoftware jegliche Form von Software, die speziell für Lernzwecke entwickelt wurde [27]. Der Fokus von Lernsoftware liegt dabei auf dem übergeordneten Ziel von Bildungstechnologie, nämlich der Steigerung der Effektivität beim Lernen [27]. Der Begriff Lernsoftware oder deren Gebrauch wird dabei häufig mit dem Begriff *E-Learning* gleichgesetzt, obwohl dieser nach mehreren Definitionen lediglich die Verteilung von Lehrmaterialien beschreibt [28]. Im Rahmen dieser Arbeit soll der Begriff Lernsoftware daher vom Begriff *E-Learning* abgegrenzt werden und kann als Oberbegriff zum *E-Learning* verstanden werden. Einige vertretene und für diese Arbeit relevante Kategorien von Lernsoftware sind dabei folgende [131]:

1. *Learning Management System (LMS)*: Dienen der Verwaltung von Kursen und zugehörigem Lehrmaterial und werden auch als Lernplattform bezeichnet [132].
2. **Tutorial / Assessment Software**: Werden zur Erstellung von Übungsaufgaben verwendet, die nach dem Ermessen der Lehrenden strukturiert werden. Sie können ebenso zur Leistungsüberprüfung genutzt werden [132].
3. **Educational Games**: Bezeichnen Lernanwendungen, welche auf eine Kombination aus Wissensvermittlung und Unterhaltung setzen. Dazu verwenden sie Elemente aus dem Gaming-Bereich, wie beispielsweise den Erhalt von Erfahrungspunkten, die Freischaltung neuer Abschnitte in einer Spielwelt oder das Erreichen von Highscores und vielen weiteren Spielmechaniken [29].
4. **Simulationen**: Bezeichnet Lernsoftware, die Studierenden das Lernen durch eine visuelle und virtuelle Erfahrung ermöglicht. Dabei können Lernende die thematisierten Lernobjekte erkunden und Prozesse innerhalb des zu erlernenden Themengebiets erforschen, wie beispielsweise eine Simulation des Blutkreislaufs der menschlichen Anatomie [10].

Um den aktuellen Entwicklungsstand, speziell in den zuvor genannten Kategorien, zu repräsentieren, werden nachfolgend Beispiele für Lernsoftware aufgeführt. Dabei werden sowohl Lernanwendungen vorgestellt, die bereits auf dem Wirtschaftsmarkt vertreten sind, als auch Software, welche sich noch im Entwicklungsstand der Forschung befindet. Die folgenden Beispiele beinhalten sowohl eine gamifizierte Lernanwendung als auch eine Anwendung aus dem Bereich der Anatomie-Lehre, sowie eine Software zur Verteilung von Lehrmaterialien. Diese sollen als Inspiration für das Design der zu entwickelnden Lernanwendung im Sektor der medizinischen Lehre dienen.

Aktuelle Entwicklungen

1. **Beispiel LMS und** *Assessment Software***: Moodle**

   Moodle ist ein freies Online-Lern-Management-System, dass Lehrenden die Möglichkeit gibt, eine Lernplattform mit dynamischen Lerninhalten bereitzustellen. Sie wird bereits in über 100.000 Bildungseinrichtung weltweit eingesetzt [133]. Darin inkludiert sind inzwischen über 36 Hochschulen in Deutschland [134].

   Innerhalb einer *Moodle*-basierten *E-Learning* Webseite können individuelle Kurse verwaltet werden, zu denen Lernende sich einschreiben können. Innerhalb eines Kurses werden Lehrmaterialen in Form von verschiedenen Medien wie Texten, Bildern, Videos bereitgestellt. Durch weitere Plugins kann die Lernplattform angepasst werden, um Studierenden weitere Werkzeuge zur Erreichung ihrer Lernziele bereitzustellen. Dies kann beispielsweise eine integrierte Programmierumgebung oder eine Simulation zu einem themenbezogenen Sachverhalt sein. Zur Wissensabfrage beziehungsweise zur Überprüfung der Erreichung von Lernzielen können in *Moodle* zudem Online-Tests erstellt werden, wodurch es auch als Tutorial beziehungsweise *Assessment Software* einsetzbar ist. [131]

2. **Beispiel Gaming: Duolingo**

   Duolingo ist eine gamifizierte Lernanwendung zum Erlernen von Sprachen [135]. Die Software setzt dabei auf die Wissens- beziehungsweise Vokabelabfrage in Form von Quizzes zu bestimmten Themengebieten, wie beispielsweise der Begrüßung in einer bestimmten Sprache. Jedes Quiz stellt dabei eine zu erfüllende Herausforderung zur Freischaltung neuer Kapitel dar. Dadurch erhält die lernende Person beziehungsweise der Spieler oder die Spielerin die Möglichkeit in einer Levelübersicht alle bereits abgeschlossenen Herausforderungen zu sehen.

   Im Rahmen des *Game-Design*s wurden dabei *Gaming-Elemente* wie der Erhalt von Erfahrungspunkte und der Freischaltung von Erfolge genutzt. Dadurch sollen Spieler:innen mit kurzzeitigen aber wiederkehrenden Erfolgserlebnissen zum Weiterspielen animiert werden.

3. **Beispiel Simulation: Frosch mit Tangibles**
   In einer Forschungsarbeit der Universität Würzburg wurde eine Simulation und ein Lernspiel im Themenbereich der Anatomie des Frosches entwickelt. Fokus der Lernanwendung ist das Erlernen der Anatomie des Frosches in effektiver und ethischer Weise [30].
   Dabei wird eine Frosch-Imitation mit diversen Markern befüllt, die jeweils als Repräsentant für ein Organ gelten. Innerhalb einer *Augmented Reality (AR)* Anwendung auf einem Smartphone werden die von der Kamera erfassten Marker für den Anwender oder die Anwenderin als Organe dargestellt. Durch das Herausnehmen eines solchen Markers beziehungsweise Organs werden dem Lernenden Informationen zur Funktionalität des Organs innerhalb einer digitalen Anwendung mitsamt einem 3D Modell des Organs präsentiert, welches aus unterschiedlichen Perspektiven betrachtet werden kann. [30].
   Die Lernanwendung setzt dabei auf greifbare Objekte als Repräsentanten der anatomischen Bestandteile zur Beeinflussung der Simulation und Navigation durch die Lernanwendung, die als *TUI* oder Tangibles bezeichnet werden. Eine ausführlichere Definition des Begriffs *TUI*, sowie aktuelle Einsatzzwecke und Vorteile dieser im Bereich des Lernens, werden im nachfolgenden Abschnitt 1.3.3 näher beschrieben.

Der Einsatz von *TUI*s und das Einbetten von Spielelementen findet vermehrt Einzug bei der Entwicklung von Lernsoftware, um diese anschaulicher und attraktiver für Lernende zu gestalten [13][136]. Daher werden in den beiden nachfolgenden Abschnitten die Gründe für diese Integration in Lernsoftware in Form positiver Einflüsse auf das Lernverhalten und den Lernerfolg anhand aktueller Entwicklungen und Forschungsergebnisse untersucht.

1.3.3 Tangible User Interfaces

Ein *TUI* bezeichnet eine physische Benutzerschnittstelle [31]. Es handelt sich also um ein anfassbares Objekt, welches von Anwender:innen genutzt werden kann, um mit einem Computersystem zu interagieren beziehungsweise auf digitale Informationen zugreifen zu können [31]. Durch eine Manipulation des *TUI* können Benutzer:innen beispielsweise die digitale Information beziehungsweise den Zustand der digitalen Umgebung verändern während es gleichzeitig auch als Repräsentant für diesen Zustand gelten kann.

Beispiele

1. Die Veränderung des Systemzustands durch ein *TUI* muss nicht notwendigerweise visuell, wie beispielsweise durch eine grafische Benutzeroberfläche, repräsentiert werden. Ein Beispiel dafür ist der «Magic Table» im Schlossmuseum
   Eutin [32]. Auf dem Tisch ist ein Grundriss der Museumsräume dargestellt.
   Durch das Platzieren eines Tangibles in einem der Räume dieses Plans erhalten Besucher:innen im Vorfeld Informationen zur Ausstellung innerhalb dieses
   Raumes, beispielsweise als Tonspur.

2. In einem Forschungsprojekt wurden *TUI*s innerhalb einer Lernanwendung zur
   Repräsentation von Objekten innerhalb des zu lernenden Themenbereichs ver-
   wendet [30]. Fokus der Lernanwendung ist das Erlernen der Anatomie des
   Frosches. Eine Frosch-Imitation ist mit diversen Markern befüllt, die jeweils
   als Repräsentant für ein Organ gelten. Mit einer Augmented Reality (*AR*)-
   Anwendung können diese Marker gescannt werden, wodurch ein digitales 3D-
   Modell zum Organ präsentiert wird. Eine ähnliche Form der Exploration eines
   Anatomiemodells soll auch bei der zu entwickelnden Lernanwendung genutzt
   werden.

3. Ein Beispiel für ein Lernspiel mit *TUI*s sind die Programmier-Spielsteine von
   Tangible Play [137], mit deren Hilfe Kinder die Grundlagen des Programmie-
   rens erlernen können. Durch das Zusammenstecken von Bausteinen werden
   Sequenzen von Befehlen zur Bewegung eines Spielcharakters konstruiert. Mithilfe solcher Programm-Sequenzen gilt es den Spielcharakter sicher durch eine
   Gefahrenzone, bei gleichzeitigem Einsammeln möglichst vieler Bonuspunkte,
   zu leiten. Es verdeutlicht die Kombinationsfähigkeit von *Gamification* und *TUI*s,
   welche auch bei der zu entwickelnden Lernanwendung angestrebt wird.

Vorteile beim Lernen

Die Idee ein *TUI* innerhalb des Lernens beziehungsweise in der zu entwickelnden Lernanwendungen einzusetzen ist dabei nicht zufällig entstanden, sondern wird
innerhalb verschiedener Arbeiten untersucht [33][34][35]. Durch verschiedene Studien konnte festgestellt werden, dass *TUI*s den Lernprozess auf verschiedene Weise,
wie nachfolgend aufgelistet, begünstigen können.

1. Die Bedienung eines *TUI* fühlt sich für die benutzende Person natürlicher und
   vertrauter an als andere Schnittstellen, wie beispielsweise grafische Benutzer-
   oberflächen [33]. Dadurch werden sie zugänglicher für Kinder, Neulinge oder
   Menschen mit Behinderungen und damit wird die Schwelle zur Teilnahme reduziert [33].

2. Die Verbindung zwischen physischen Handlungen und digitalen Effekten fühlt
    sich für viele Benutzer:innen innovativ an und kann daher zu mehr Engagement
    und Reflexion beim Lernen führen [33].
3. Es wurde beobachtet, dass besonders Kinder durch greifbare Schnittstellen moti-
    viert werden spielerisch zu lernen [34]. Hierbei bleibt die Frage offen, ob diese
    Motivation nicht auch im Erwachsenenalter noch vorhanden ist.
4. Nach Piagets Theorie der kognitiven Entwicklung ist der Aufbau von Wissen
    ein Produkt eines aktiven, erfahrungsgetriebenen Prozesses [36]. Demnach lernt
    der Mensch verstärkt durch eigene konstruktive Aktivitäten [36][33]. Dieser
    Vorgang ist dabei ertragreicher als eine direkte Wissensvermittlung [35]. Ein
    aktiver Lernprozess wird durch den Einsatz von greifbaren Schnittstellen, die
    eine konkrete Manipulation erlauben, gefördert. Somit kann ein effektiveres und
    natürlicheres Lernen unterstützt werden, weshalb es daher auch in der geplanten
    Bildungstechnologie zum Einsatz kommen soll.
5. *TUI*s ermöglichen mehreren Personen eine Interaktion mit dem gleichen System
    während sie gleichzeitig auch miteinander kommunizieren können. Dadurch
    kann eine kollaborative Aktivität beim Lernen erreicht werden [33][34][35].
6. Durch das Hinzufügen der physischen Interaktion wird die motorische Wahr-
    nehmung aktiviert, wodurch die Lernerfahrung verstärkt werden kann. Diese
    Verstärkung wirkt sich vor allem auf den kinästhetischen beziehungsweise moto-
    rischen Lerntyp aus, der bevorzugt durch Ausprobieren, Tasten und in praxis-
    orientierter Weise lernt [35].

Typische Lerndomänen

Aufgrund der zuvor aufgeführten Eigenschaften und Vorteile von *TUI*s, eigenen
sie sich im Bereich der Lehre für einige Bereiche besonders gut. Daher gilt es zu
untersuchen, ob ein plastisches Anatomicmodell unter einen solchen Bereich fällt.
Im Folgenden werden daher typische Lerndomänen betrachtet, in denen sich der
Einsatz von *TUI*s bereits bewährt hat, sowie potenzielle Risiken bei deren Einsatz.

1. Besonders dreidimensionale Systeme können durch die haptische und proprio-
    zeptorische Wahrnehmung leichter verstanden werden als durch die visuelle
    Darstellung in zweidimensionaler Form, beispielsweise im Bildformat, allein.
2. *TUI*s ermöglichen eine Kopplung mit einer augmentierten Realität [35]. Dadurch
    können verschiedene Repräsentationen eines zu erlernenden Systems innerhalb
    einer Lerndomäne zusammengeführt und somit Informationen aus beiden kom-
    biniert werden [35]. Die Lernenden können durch die Interaktion mit einer ver-
    trauten Repräsentation einen weniger vertrauten Themenkomplex besser ver-
    stehen [35]. Dies ist zum Beispiel der Fall, wenn die digitale Repräsentation

mit neuen Informationen angereichert ist. In einer Studie zum Multimedialen Lernen hat sich in diesem Zusammenhang herausgestellt, dass durch eine enge Verknüpfung der Informationen mit der visuellen Repräsentation des zu erlernenden Objekts der Lernerfolg erhöht werden kann [37].

3. Die Interaktion mit *TUI*s lädt zum kollaborativen Handeln ein. Daher eignen sie sich besonders für Lerndomänen, in denen Personen gemeinsam eine Aufgabe bewältigen können oder sie davon profitieren bei der Interaktion miteinander zu kommunizieren und dabei den Lerninhalt zu reflektieren [33].

4. Abhängig der Lerninhalte kann mithilfe von *TUI*s eine physische Repräsentation eines zu erlernenden Objekts konstruiert werden. Diese physische Repräsentation kann mit Informationen angereichert werden, die von der lernenden Person bei einem explorativen Vorgehen gefunden und aufgenommen werden können. Diese Erkundung kann dabei beispielsweise durch einen Dozierenden konstruiert werden, sodass sie an bestimmte Meilensteine oder Lernziele geknüpft ist [33].

Mögliche Nachteile

Die Steigerung des Lernerfolgs durch den Einsatz von *TUI*s kann nicht generalisiert werden. *TUI*s können nicht in jedem Themenkomplex den Lernprozess unterstützen und können diesen unter Umständen sogar abschwächen. Dazu haben Uttal et al. feststellen können, dass das Lernen mit *TUI*s bei abstrakten Themen wie der Mathematik vor allem bei Kindern den Lernerfolg abschwächen kann [38]. Clements äußert zudem die Gefahr, dass physische Materialien die Reflexion und das abstrakte Denken einschränken können. Die lernenden Personen könnten in einem «Aktionsmodus» blockiert werden und gegenüber abstrakter Themen unempfänglich werden [39].

Zusammenfassung

Zusammengefasst konnte in verschiedenen Studien eine Steigerung der Lernmotivation durch *TUI*s festgestellt werden. Die Auswirkung auf den Lernerfolg beim deren Einsatz ist abhängig vom Themenbereich, in denen sie eingesetzt werden. In diesem Zusammenhang werden sie bei abstrakten Themen, wie beispielsweise im Bereich der Mathematik, nicht empfohlen. Jedoch konnten *TUI*s erfolgreich als Lernwerkzeug eingesetzt werden, sofern sich die zu vermittelnden Informationen auf Objekte beziehen, welche typischerweise konkret und greifbar sind. Bezogen auf den Themenbereich dieser Arbeit kann hier beispielsweise das komplexe System der menschlichen Anatomie genannt werden. Die dabei vermittelten Informationen beziehen sich auf reale und greifbare anatomische Objekte, welche jedoch ohne Sezierung des menschlichen Körpers nicht zugänglich sind. Daher hat sich die Nachbildung physischer Repräsentationen durchgesetzt, wodurch die Erweiterung einer solchen Repräsentation als *TUI* zu einem Lernwerkzeug naheliegend erscheint. *TUI*s fördern sowohl das kollaborative, explorative als auch das spielerische Lernen. Daher werden sie bevorzugt bei Lernspielen für Kinder eingesetzt. Dabei gilt es näher zu untersuchen, ob diese Effekt auch für die gamifizierten Lernanwendung mit Kombination eines *TUI* im Bereich der Medizin beim konkreten Thema der menschlichen Anatomie effektiv eingesetzt werden kann. Daher werden im nächsten Abschnitt zusätzlich die Effekte von *Gamification* im Bereich der Lehre untersucht, um diese im Rahmen dieser Arbeit bei der Entwicklung einer Bildungstechnologie berücksichtigen zu können.

1.3.4   Gamification

Gamification oder Gamifizierung bezeichnet eine Anwendung von Elementen und Konzepten aus dem Bereich des *Game-Design* in einem Kontext, der üblicherweise frei von Gaming-Elementes ist, zur Steigerung der Benutzererfahrung und Nutzerbindung [40][41][138]. *Gaming-Elemente* beschreiben dabei Mechaniken und Regeln aus dem Bereich der elektronischen und nicht-elektronischen Spiele. Einige der bekanntesten *Gaming-Elemente* sind in diesem Zusammenhang folgende:

 Punkte: Ein Punktesystem wird dazu genutzt, um Spieler:innen den persönlichen Fortschritt zu visualisieren.

 Erfolge: Eine Auszeichnung, die repräsentiert, dass bestimmte Meilensteine in einem Spiel erreicht wurden.

 Bestenliste: Auflistung von Spieler:innen anhand ihrer spielerischen Leistung.

Die fiktive Charakterin Mary Poppins fasst das Grundkonzept dabei im gleichnamigen Buch der Autorin P.L. Travers in folgendem Zitat kurz zusammen:

«In every job that must be done, there is an element of fun. You find the fun and SNAP! the job's a game.» – *Mary Poppins* [42]

Es ist dahingehend eine passende Beschreibung, da *Gamification* das Hinzufügen von unterhaltenden Spielelementen in eine ansonsten unter Umständen anstrengende oder mühsame Tätigkeit beinhaltet[40]. Aus diesem Grund wird *Gamification* beispielsweise im Bereich der Lehre und des Lernens angewendet. Der Drang Neues zu Erlernen ist in der Natur des Menschen fest verankert [1][43][44]. Dem Menschen ist bewusst, dass eine Erweiterung des Verstandes und das Erlangen neuer Kenntnisse ihm sozialgesellschaftliche, berufliche und persönliche Vorteile verschaffen kann [2][139]. Allerdings kann die Vorstellung des Lernens und der Anstrengung dieses Prozesses mit negativen Empfindungen behaftet sein. Dabei können unter anderem Emotionen der Langeweile, Überforderung oder Versagensangst auftreten [140][4].

Um diesen Effekten entgegenzuwirken und die Lernmotivation zu steigern, wird die Lernaktivität in verschiedenen Lernanwendungen gamifiziert. Das bedeutet nach der Definition von *Gamification*, dass die Lernaktivität beispielsweise mithilfe einer Bildungstechnologie so umgestaltet wird, dass für den Lernenden eine Erfahrung des spielerischen Lernens entsteht. Dieses Ziel der Umgestaltung basiert auf den Erkenntnissen, dass spielerisches Lernen als eine höchst-effektive und nachhaltige Form des Lernens gilt [45]. Die einhergehenden Vorteile bei der Gamifizierung der Lehre und des Lernens werden im nachfolgenden Abschnitt näher beschrieben. Weitere Bereiche, in denen *Gamification* eingesetzt wird, liegen unter anderem im Bereich des Marketings, Gesundheit, Webdesign und vielen weiteren. Im Rahmen dieser Arbeit wird der Fokus der Einflüsse von *Gamification* allerdings auf den Bereich des Lernens im Bezug auf Bildungstechnologie gesetzt.

Vorteile

In zahlreichen Studien konnte bereits eine Evidenz bezüglich der Verbesserung der Lernerfahrung beim gamifizierten Lernen gezeigt werden. Im Folgenden sollen die identifizierten Vorteile aufgelistet werden, um zu verdeutlichen, dass sie mit dem in dieser Arbeit definierten Ziel, der Entwicklung einer motivations- und lernerfolgsfördernden Bildungstechnologie, einhergehen.

- **Aktives Lernen**: Lernende nehmen beim Lernvorgang eine aktivere Rolle ein [46]. Sie setzen sich mit den Lerninhalten durch direkte Interaktion auseinander und erhalten direktes Feedback zu bearbeiteten Aufgaben oder Herausforderungen. Die lehrende Person ist dadurch nicht alleiniger Wissensvermittler.
- **Steigerung der Motivation**: Die Verwendung von Spielmechaniken in gamifizierten Lernanwendungen können in unterschiedlichen Bereichen der Lehre einen Beitrag zur Motivation der Lernenden liefern, besonders wenn Studierende bezüglich des Lernprozesses demotiviert sind oder sie sich vom behandelten Thema unbetroffen fühlen. [47]
- ***Continuous Learning***: Durch *Gamification* kann das Verständnis der Lernenden für ein komplexes Thema gefördert werden. Dies hängt unter anderem damit

zusammen, dass gamifizierte Lernanwendungen zu einem unmittelbaren Wiederholen der Lerninhalte durch positives Feedback und Belohnungen motivieren. [15][48][49] Beispiel: Erhalt von Erfahrungspunkten nach Abschluss einer Lerneinheit.

- **Kollaboratives Lernen**: *Gamification* unterstützt das gemeinsame Lernen beziehungsweise den Austausch über Lerninhalten unter Lernenden. Gleichzeitig erhöht es die Interaktion zwischen Lernenden und Lehrenden. Insgesamt wird ein zwangloses und offeneres Kommunizieren über behandelte Lerninhalte festgestellt. [50][51]

- **Erhöhung der Produktivität**: Lernende können durch eine länger anhaltende Lernmotivation intensivere Lernprozesse absolvieren. So können Lernziele beispielsweise in kürzerer Zeit erreicht werden [52][53][54]. In einer Umfrage dazu gaben 90% der Teilnehmer an, dass sie produktiver sind, wenn ihre Arbeit spielerisch gestaltet ist. [141]

- **Unterhaltsame Lernerfahrung**: Insgesamt nehmen Lernende den Lernprozess als unterhaltender wahr. Herausforderungen oder das Scheitern bei Aufgaben wird seltener mit Frustration sondern mit dem Drang zur Wiederholung und Verbesserung der eigenen Leistung beantwortet [55][56].

Insgesamt kann durch *Gamification* im Bereich der Lehre eine Steigerung der Lernmotivation und des Engagements der Lernenden festgestellt werden. Das Engagement wird in diesem Zusammenhang als eine positive Einstellung des Lernenden gegenüber der Durchführung von Lernaufgaben verstanden [57]. Dadurch kann implizit eine Verbesserung der Lernerfahrung und der Qualität der Lehre erreicht werden.

Aktuelle Entwicklungen

Im Folgenden werden Anwendungen vorgestellt, die bereits *Gamification* nutzen, um die Lernerfahrung zu steigern. Dadurch, dass die angestrebte Lernanwendung im Bereich der Lehre in der Medizin eingesetzt werden soll, wurden vergleichbare Beispiele ausgewählt, welche sich ebenfalls im Kontext der medizinischen Ausbildung befinden. Diese sollen als Inspiration bei der Gestaltung der angestrebten gamifizierten Lernanwendung gelten und Anhaltspunkte über bewährte *Gaming-Elemente* liefern.

1. *AR Gamification* **for Human Anatomy** [58]: Im Rahmen eines Forschungsprojekts wurde eine *AR* Anwendung entwickelt, die mit Unterstützung von Gaming-Elementes das Lernen der menschlichen Anatomie unterstützt. Mithilfe einer Mobilen Anwendung kann per Kamera ein Abbild eines anatomischen Objekts

untersucht werden. Zuvor kann der Lehrende an einer virtuellen Version dieses anatomischen Objekts an bestimmten Positionen Referenzpunkte setzen. Diese Referenzpunkte markieren zu benennende Strukturen innerhalb dieses anatomischen Objekts. Beispielsweise könnten innerhalb eines virtuellen Herzens Referenzpunkte an den vier Herzklappen festgelegt werden.

Der Lernende kann die Mobile Anwendung dann dazu verwenden, die Referenzpunkte innerhalb eines Quiz mit den zugehörigen Bezeichnungen zu versehen. Der Lernende erhält daraufhin Feedback, ob die Referenzpunkte mit den korrekten Bezeichnungen versehen wurden. Alternativ können bereits beschriftete Punkte an die korrekte Position des untersuchten anatomischen Objekts positioniert werden.

2. **LifeSaver** [142]: Bei LifeSaver handelt es sich um eine storybasierte Simulation zum Erlernen wiederbelebender Maßnahmen in Form einer Herz-Lungen-Wieder-belebung als Erste-Hilfe-Leistung. Die Motivation zur Entwicklung des Spiels ist das Entgegenwirken der Mortalität bei einem Herzstillstand, welchem durch eine frühzeitige Durchführung der Herz-Lungen-Wiederbelebung außerhalb des Krankenhauses durch einen Ersthelfer vermieden werden kann.

Die Spieler:innen befinden sich in einem Szenario, welches durch einen interaktiven Film visualisiert ist. Eine Person in unmittelbarer Reichweite erleidet einen Herzstillstand und die Spieler:innen werden zum Ersthelfer. Dabei werden die Handlungsschritte zur Herz-Lungen-Wiederbelebung vermittelt, wobei jede Entscheidungsmöglichkeit der spielenden Person zeitlich begrenzt ist. Sie wird dadurch in eine intensive und stressbehaftete Situation gebracht, welche allerdings die Umstände in einem realen Szenario simulieren soll.

Hierbei werden mehrere Spielmechaniken eingesetzt. Für jede korrekte Entscheidung erhalten die Spieler:innen Punkte. Zusätzlich werden schnelle Entscheidungen mit Bonuspunkten belohnt. Außerdem wird beim erfolgreichen Abschluss eines Szenarios ein neues Level freigeschaltet. Dadurch bleibt der Spielerfortschritt nachvollziehbar und motiviert zum weiteren Spielen beziehungsweise Lernen.

3. **BioDigital Quiz** [143][144]: Ein Beispiel, das ebenfalls wie die in dieser Arbeit angestrebte Lernanwendung ein medizinischen Spiel darstellt, ist die Software *BioDigital*. Dabei handelt es sich um eine interaktive 3D-Software zur Visualisierung der menschlichen Anatomie, Erkrankungen und Behandlungsmethoden. Im Bezug auf den Einsatz von Gaming-Elementes wird hierbei bisher ausschließlich auf den Einsatz eines Quizmodus gesetzt. Dabei bietet *BioDigital* Lehrenden die Möglichkeit ein 3D-Modell mit Quizfragen zu versehen und zu veröffentlichen. Die Beantwortung der Quizfragen erfolgt dabei durch Auswahl einer

gesuchten anatomischer Struktur. Allerdings setzt *BioDigital* lediglich auf eine geringe Anzahl von Gaming-Elementes.

Abschluss eines Quiz steht in Verbindung mit direktem Feedback und der Fortschritt innerhalb des Quiz ist durch einen Fortschrittsbalken veranschaulicht. Zusätzlich ist die Auseinandersetzung mit den Lerninhalten interaktiv gestaltet, wodurch das aktive Lernen unterstützt wird.

Punkte- oder Erfolgssystem ist hierbei allerdings nicht inbegriffen, wodurch beispielsweise der Effekt des *Continuous Learning* wie in Abschnitt 1.3.4 beschrieben, nicht zum Tragen kommt. Lernende erhalten somit keine persistente Übersicht über die eigenen Lernerfolge.

Anforderungsanalyse

2

Innerhalb des vorherigen Kapitels wurden in Abschnitt 1.3 ein Überblick über die
Methodik zur Erweiterung der konventionellen Lehre durch Bildungstechnologie
erstellt. In diesem Zusammenhang wurden die Potenziale dieser Umstrukturierung
der Lehre aufgezeigt und anhand von Beispielen zu bereits verfügbaren oder noch in
der Forschung befindlichen Bildungstechnologien gestützt (siehe Abschnitt 1.3.1).
Hierbei wurden die positiven Effekte von interaktiven Lehrmedien in Form von
*TUI*s (siehe Abschnitt 1.3.3) und ebenso der Gamifizierung von Bildungssoftware
bezüglich der Steigerung von Lernmotivation und Lernerfolg aufgezeigt (siehe
Abschnitt 1.3.4). Daher erscheint die Integration einer solchen interaktiven Bildungstechnologie, welche Studierende ebenfalls durch eine gamifizierte Lernanwendung in ihrer Lernaktivität unterstützt, als eine vielversprechende Variante, um
die Qualität der Lehre weiter zu verbessern. Im Rahmen dieser Forschungsarbeit
gilt es daher eine solche Form der Bildungstechnologie zu konzipieren und zu entwickeln, sowie deren positive Effekte auf die Lehrqualität und den Lernerfolg von
Studierenden im Rahmen einer abschließenden Evaluation zu analysieren.

Damit die Entwicklung eines interaktiven Systems erfolgreich sein kann beziehungsweise die Akzeptanz der potenziellen Nutzer:innen erreicht wird, gilt es die
Anforderungen an das System sowie die Bedarfe der Benutzer:innen zu erfassen
und zu berücksichtigen. Zu diesem Zweck wird das von Preim und Dachselt entwickelte Verfahren zur Durchführung einer solchen Anforderungsanalyse angewandt
[21]. In den einzelnen Phasen dieser Analyse gilt es sowohl das Systemumfeld als
auch die Benutzer:innen und deren Bedarfe und Aufgaben zu untersuchen.

Ergänzende Information Die elektronische Version dieses Kapitels enthält
Zusatzmaterial, auf das über folgenden Link zugegriffen werden kann
https://doi.org/10.1007/978-3-658-42745-0_2.

P. Goldbach, *Entwicklung einer interaktiven Wirbelsäule inklusive gamifizierter
Lernanwendung*, BestMasters, https://doi.org/10.1007/978-3-658-42745-0_2

Im ersten Schritt, soll in Abschnitt 2.1 ein Verständnis bezüglich des generellen Ziels des Projekts aufgebaut werden, ergänzend zur Schilderung in Kapitel 1. Da sich das zu entwickelnde System im Umfeld der medizinischen Lehre befindet, werden zunächst die dort vorherrschenden Lehrparadigmen untersucht, um dort befindliche Problemstellungen und Potenziale zu verorten. Dabei gilt es im Vorfeld herauszuarbeiten, inwiefern der Einsatz einer interaktiven Bildungstechnologie eine Optimierung bei der Gestaltung der Lehre mit sich bringen kann.

Darauf aufbauend erfolgt in Abschnitt 2.2 eine vertiefte Untersuchung des Lehrumfelds durch die Teilnahme beziehungsweise Beobachtung einer medizinischen Lehrveranstaltung. Dadurch soll eine spezifischere Übersicht zur Lehrmethodik an der *UzL* beziehungsweise am Lehrstuhl für Allgemeinmedizin geschaffen werden. Nachfolgend werden die Aufgaben und Bedarfe von Dozierenden im Rahmen der Lehre in Form von Interviews detaillierter beleuchtet, um Anforderungen an eine unterstützende Bildungstechnologie ableiten zu können.

In einem nächsten Schritt sollen die Benutzer:innen sowie deren Anforderungen an das System analysiert werden (siehe Abschnitt 2.3), denn diese bestimmen maßgeblich die Akzeptanz und Legitimation des zu entwickelnden Systems.

Abschließend werden in Abschnitt 2.7 alle in den einzelnen Phasen der Analyse erfassten Anforderungen gesammelt und strukturiert und in übergeordnete Projektziele formuliert, um diese im Rahmen der darauffolgenden Konzeption des Systems berücksichtigen zu können.

2.1 Initiale Aufgabenanalyse

Zur Entwicklung eines interaktiven Systems, welches in dieser Form bisher nicht auf dem Markt vertreten ist, erfordert es zunächst die Charakterisierung der aktuellen Situation im potenziellen Einsatzgebiet, die eine Neuentwicklung begründet. Dazu muss zunächst das Problem im Detail erfasst werden, welches durch den Einsatz des angestrebten Systems gelöst werden soll. Die Erfassung des zu lösenden Problems erfordert dabei eine Analyse der aktuellen Situation, hier im Umfeld der medizinischen Lehre, und wird im folgenden Abschnitt näher beschrieben.

2.1.1 Situation of Concern

Das Erlernen komplexer Sachverhalte in der beruflichen oder akademischen Ausbildung wird von Lernenden häufig als beschwerlich und mühsam wahrgenommen [59]. Besonders zu nennen sind hierbei Studierende der Medizinberufe, welche von der immensen Anzahl zu erlernender Fakten bezüglich der menschlichen Anatomie überfordert sind [59]. Neben dieser großen Menge zu erlernender Informationen werden diese zudem häufig mithilfe von Medien wie Texten, statischen Bilder und den gesprochenen Worten von Dozierenden vermittelt. Nach Edgar Cones Erfahrungspyramide sind diese Formen der Informationsvermittlung jedoch die abstraktesten, wodurch die Erfassung der Informationen erschwert wird [60].

Um der Grenze der menschlichen Vorstellungskraft bezüglich der Lernthemen und der erschwerten Informationsaufnahme entgegenzuwirken, eignen sich bei der Wissensvermittlung anschaulichere Medien wie die Demonstration durch Modelle oder die Animation und Simulation von Handlungs- und Prozessabläufen [61]. Besonders bei der Wissensvermittlung dreidimensionaler Objekte wie anatomischer Strukturen und deren Zusammenwirken sind daher anschauliche Modelle förderlich für den Lernprozess [8][9][10][11].

Ein weiteres Problem ist der Mangel an Unterstützung verschiedener Lerntypen in der konventionellen Lehre [62][63], welche häufig in Form von Frontalunterricht mit Dozierenden als alleinige Wissensvermittler umgesetzt wird [145]. Insgesamt existieren über 70 verschiedene Lerntypen-Modelle [146]. Viele davon, wie die Modelle von Vester [64] oder Schrader [65], definieren dabei anwendungsorientierte Lerntypen oder solche, die eine theoretische Informationsvermittlung bevorzugen. Nach den Lerntypen von Schrader probiert der anwendungsorientierte Lerntyp gerne Gegenstände im Bereich des Themengebiets aus. Für ihn wird das Verständnis erschwert, wenn bei der Präsentation der Lehrinhalte Anschauungen fehlen und keine praktische Anwendungsmöglichkeit besteht [65]. Eine ähnliche Lernform wird von Vester mit dem haptisch-kinästhetischen Lerntyp beschrieben. Dieser bevorzugt ebenfalls das Anfassen, Fühlen und Ausprobieren von Lernobjekten [64]. Allerdings werden derartige Lerntypen im Bereich der medizinischen Ausbildung, besonders in den ersten Semestern, kaum unterstützt. Dort findet eine Wissensvermittlung häufig durch das Lesen, Hören und Sehen von Informationen statt [145].

In unterschiedlichen Studien wurden die bevorzugten Lerntypen von Studierenden im Bereich der medizinischen Lehre untersucht. In einer dieser Studien an der Universität für Medizin und Pharmazie in Craiova konnte festgestellt werden, dass etwa 14 % der Studierenden dem kinästhetischen Lerntypen zuzuordnen sind [66]. Hinzu kommen weitere 15 %, welche eine Kombination des kinästhetischen Lernens mit dem auditiven, visuellen Lernen bevorzugen oder eine Kombination aus allen drei Formen favorisieren [66]. Dadurch ergeben sich insgesamt 29 %, die das ausschließliche oder kombinierte kinästhetischen Lernen bevorzugen, aber durch die aktuell vorherrschenden Lehrparadigmen in der medizinischen Lehre nicht oder nur teilweise unterstützt werden. Eine Zusammenfassung der geschilderten

Studienergebnisse ist in Abbildung 2.1 dargestellt. In weiteren Studien konnten dabei ähnliche Ergebnisse zur Verteilung der Lerntypen von Medizinstudierenden festgestellt werden [67][68].

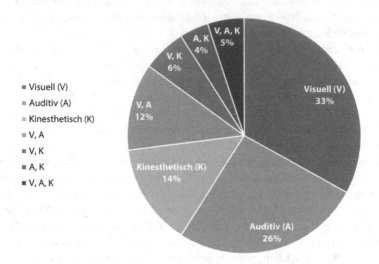

Abbildung 2.1 Verteilung der Lerntypen unter Medizinstudierenden. (Nach Vorlage [66])

Neben diesem Mangel der Unterstützung des kinästhetischen Lerntyps besteht ein weiteres Problem bezüglich der nachhaltigen Verarbeitung der aufgenommenen Informationen. Nach der Vergessenskurve von Ebbinghausen werden erfasste Informationen innerhalb kürzester Zeit wieder verworfen [147]. Diesem Effekt kann jedoch entgegengewirkt werden, wenn die aufgenommenen Informationen wiederholt konsumiert werden [16]. Diese Wiederholung bedarf jedoch einer Lernmotivation, welche bei Studierenden häufig aufgrund des Leistungsdrucks und bevorstehenden Überprüfungen durch Dozierende extrinsisch beeinflusst ist [5]. Dieser Faktor basiert dabei auf der Angst eine Leistung nicht erbringen zu können und daher die Lernaktivität über die eigenen Limits hinaus zu führen [5]. Dabei ist es naheliegend, dass ein derartiger Motivationsfaktor einer angenehmen Lernaktivität nicht dienlich ist. Zudem kann durch solche negativen Faktoren die Interaktion zwischen Lernenden und Dozierenden beeinträchtigt werden, ein Mangel an Lern-Engagement mit sich bringen und zudem zu Depressionen, abfallenden Leistungen und Studienabbrüchen führen [5][69]. Die Betrachtung aktueller Problemstellungen im Bereich der Lehre beziehungsweise der medizinischen Lehre zeigt sowohl

Herausforderungen als auch Chancen auf, welchen durch die Entwicklung einer interaktiven Lernanwendung entgegengewirkt werden soll. Im nächsten Schritt werden daher Aufgaben der zu entwickelnden Anwendung und Lösungsansätze beschrieben, welche die aktuell vorherrschenden Probleme adressieren und reduzieren sollen, um eine Verbesserung für die medizinische Lehre zu realisieren.

2.1.2 Mission Statement

Mithilfe einer interaktiven Bildungstechnologie soll der Lernprozess der medizinischen Lehre insoweit angereichert werden, dass die Wissensvermittlung auf einer multimedialen Präsentation von Informationen basiert. Die Lernanwendung soll dabei das übergeordnete Ziel von Bildungstechnologie unterstützen (siehe Abschnitt 1.3.1) und die Möglichkeit zur anschaulichen und interaktiven Gestaltung der Lehre bieten.

Die Bildungstechnologie soll dabei aus einem *TUI* als Eingabegerät bestehen, welches in Form eines interaktiven Wirbelsäulenmodells umgesetzt wird. Zusätzlich soll eine Lernanwendung zur Simulation der menschlichen Wirbelsäule entstehen, welches durch die interaktive Wirbelsäule bedient werden kann. Damit sollen Dozierende und Studierende auf unterschiedliche Weise im Lehr- und Lernprozess unterstützt werden.

Für Dozierende bedeutet dies, dass sie mit der interaktiven Wirbelsäule ein Demonstrations-Werkzeug erhalten, um die Wissensvermittlung zur Anatomie der Wirbelsäule anschaulich und multimedial gestalten können. Im Lehrprozess thematisierte Strukturen der Wirbelsäule können dabei am physischen Modell berührt werden, wodurch sie im virtuellen Abbild hervorgehoben und beschriftet werden. Dabei soll ebenfalls der räumliche Kontext zur selektierten Struktur beziehungsweise das Zusammenwirken mit anderen Strukturen veranschaulicht werden, indem anliegende Strukturen ebenfalls hervorgehoben werden. Dadurch soll der Fokus bei der Wissensvermittlung stets übersichtlich und nachvollziehbar bleiben. Gleichzeitig soll ein verstärkter Wissenstransfer durch *Multimedia Learning* [37] für Studierende ermöglicht werden, indem eine neue Repräsentation der zu vermittelnden Information geschaffen wird und die Simulation sowie darin befindliche Informationstexte kombiniert werden [70].

Studierenden soll durch die Bildungstechnologie ein anschauliches Lernmedium zur Verfügung gestellt werden, welches sie im Lernprozess unterstützt. Diese Unterstützung soll unter anderem durch die Berührungssensitivität des physischen Wirbelsäulenmodells erreicht werden. Studierende sollen auf diese Weise die Anatomie der Wirbelsäule interaktiv und explorativ erlernen können. Neben der

Begünstigung visueller Lerntypen, die durch eine anschauliche Simulation der Wirbelsäule in Form des virtuellen Modells angesprochen werden, sollen auch kinästhetische beziehungsweise motorische Lerntypen berücksichtigt werden [65][64]. Durch die Realisierung der Bildungstechnologie als *TUI*, sollen diese durch das Ertasten der physischen Wirbelsäule und der haptischen Interaktion zur Modifikation des virtuellen Abbilds angesprochen werden.

Zum Anderen können Studierende die Lernanwendung zur Reflektion des Erlernten nutzen, indem sie ihr Wissen innerhalb eines Lernspiels überprüfen. Das Lernspiel oder die gamifizierte Lernsoftware soll dabei als dedizierter Modus innerhalb der Gesamtanwendung vorliegen. Innerhalb dieses Lernmodus können Studierende Wissensfragen in Quizform bezüglich der menschlichen Anatomie beantworten. Das Lernspiel soll dabei so konzipiert werden, dass sie aus einem Kontingent von Lektionen mit unterschiedlichen Themengebieten auswählen können. Neben dem Quiz zur Wirbelsäule soll die Anwendung so umgesetzt werden, dass sie um weitere Themenbereiche, wie der Lunge oder dem Herz, erweiterbar ist.

Die Fragestellungen sollen so konzipiert sein, dass die korrekte Antwort auf eine oder mehrere anatomische Strukturen des Modells abzielt. Die Abgabe der Antwort soll durch eine Selektion der entsprechenden Strukturen im virtuellen Modell erfolgen. Das Lernspiel soll zusätzlich durch *Gaming-Elemente* angereichert werden, um Studierende zu einem routinierten und regelmäßigen Lernprozess zu motivieren [14]. Durch den Abschluss von Lektionen sollen dabei Erfahrungspunkte gesammelt und Erfolge erreicht sowie neue Lektionen mit neuen Themengebieten freigeschaltet werden können (Tabelle 2.1).

Tabelle 2.1 Anforderungen auf Grundlage recherchierten Problemstellungen in der Lehre und Möglichkeiten zur Umgestaltung der Lehrmethodik

	Resultierende benutzerbezogene Anforderungen
•	Um die hohe Anzahl zu erlernender Fakten bei der Lernaktivität überblicken zu können, sollen die Lerninhalte in **logische und übersichtliche Lerneinheiten** strukturiert werden.
•	**Abstrakte Informationsvermittlung** durch Medien wie Texte und statische Bilder **reduzieren** und den Einsatz von anschaulichen und interaktiven Lehrmedien fördern, um den Wissenstransfer zu stärken.
•	**Förderung des interaktiven und kollaborativen Lernens** durch ein interaktives Lehrmedium statt Durchführung von Frontalunterricht mit Dozierenden als alleinigen Wissensvermittlern.
•	**Unterstützung des Multimedialen Lernens** durch die Kombination eines physischen 3D-Modells und einer entsprechenden virtuellen Repräsentation sowie die **Anreicherung der virtuellen Objekte mit Zusatzinformationen**.

2.2   Vertiefte Aufgabenanalyse

Durch die zuvor durchgeführte initiale Aufgabenanalyse konnte auf Basis einer Literaturrecherche ein Überblick über die aktuell vorherrschenden Lehrparadigmen im Medizinstudium sowie der damit verbundenen Situation der Lehre an entsprechenden Hochschulen erstellt werden. Dadurch konnte eine erste Übersicht zum Einsatzgebiet des zu entwickelnden Systems erstellt werden. Des Weiteren konnte das zu behandelnde Problem in Abschnitt 2.1.1 adressiert werden sowie ein erster Lösungsvorschlag in Abschnitt 2.1.2 in Form einer zu entwickelnden Bildungstechnologie vorgestellt werden, welche zu einer Verbesserung der Lehr- und Lernsituation beitragen soll.

Für eine erfolgreiche Integration des zu entwickelnden Systems in das potenzielle Einsatzgebiet ist die Erreichung einer hohen Nutzerakzeptanz entscheidend [21]. Daher ist die Erfassung der Bedürfnisse der potenziellen Nutzer:innen sowie eine Übersicht bezüglich deren Arbeitsumfeldes besonders wichtig. Nach dem Leitfaden zur Erstellung einer Anforderungsanalyse nach Preim und Dachselt [21] gilt es daher, sich mit den Aufgaben und Prozessen sowie der Arbeitswelt der Benutzer:innen vertraut zu machen [21].

Dazu wurde im Rahmen dieser Analysephase im ersten Schritt eine Beobachtung der Lehrveranstaltungen durchgeführt (siehe Abschnitt 2.2.1), in denen der Einsatz einer interaktiven Wirbelsäule angestrebt wird. Anschließend wurde auf Grundlage dieser ersten Übersicht zur Lehrsituation ein Interview mit einer dozierenden Ärztin geführt (siehe Abschnitt 2.2.2), um die Anforderungen an die interaktive Wirbelsäule zu spezifizieren.

2.2.1   Beobachtung

Zu Beginn der Unterrichtseinheit des Untersuchungskurses wurde der fokussierte Themenbereich, ein häufig auftretendes Krankheitsbild, genannt. Das thematisierte Krankheitsbild der beobachteten Unterrichtseinheit bezog sich dabei auf die Wirbelsäule. Anschließend wurden Studierende befragt, welche Symptome und eventuelle Vorerkrankungen mit dem genannten Krankheitsbild in Verbindung stehen können und wie eine Untersuchung eines Schmerzpatienten bei diesem durchgeführt werden sollte. Dazu simulierte der Dozent den Schmerzpatienten und veranschaulichte in Zusammenarbeit mit einem freiwilligen Studierenden eine klinische Untersuchung. Dabei wurde gezeigt, welche anatomischen Strukturen auf Anomalien untersucht werden sollten und wie diese am Körper des Patienten zu verorten sind.

Die Verortung der gesuchten Strukturen wurde dabei in einem schrittweisen Prozess beschrieben. Am Körper des Patienten können einige Strukturen, wie der «Spina iliaca posterior superior» (SIPS) oder hinterer oberer Darmbeinstachel, leichter gefunden werden. Der SIPS zeichnet sich dabei durch in der Haut sichtbare Grübchen am Rücken aus. Der SIPS kann dadurch als Referenzpunkt genutzt werden, um weniger offensichtliche Strukturen von dort ausgehend zu ertasten. Diese schrittweise Verortung wurde mithilfe eines Wirbelsäulenmodells durch die dozierende Person zusätzlich veranschaulicht. Dabei wurde gezeigt, wie vom SIPS ausgehend einige weitere Strukturen gefunden werden können. Diese Verortung und die Untersuchung von Strukturen auf Anomalien konnten Studierende anschließend an Kommilitonen erproben.

Neben dem Auffinden von Strukturen wurde von der dozierenden Person demonstriert, wie nach einer Diagnose bestimmte Erkrankungen behandelt werden können. Dazu wurde ebenfalls das Wirbelsäulenmodell hinzugezogen, um zu zeigen an welchen Punkten oder Strukturen Druck ausgeübt werden muss, um einen Schmerzpatienten zu behandeln. Zusätzlich wurde ein Lehrbuch als Nachschlagewerk bereitgestellt, um Zusatzinformationen zu Erkrankungen und deren Verbindung zu bestimmten Symptomen sowie Informationen zu Funktionen und dem Zusammenwirken anatomischer Strukturen zu erhalten. Dieses ausgelegte Lehrbuch wurde in der beobachteten Unterrichtseinheit von keinem Studierenden beachtet.

2.2.2 Interview

Im Rahmen der Beobachtung zum Untersuchungskurs am Institut für Allgemeinmedizin konnte ein erster Eindruck über die Gestaltung der Lehre und das Einbeziehen verschiedener Medien und des physischen Wirbelsäulenmodells erfasst werden. Auf dieser Beobachtung aufbauend gilt es weitere aufgekommene Fragen bezüglich des Einsatzes des physischen Wirbelsäulenmodells und Anforderungen an die Funktionalität der zu entwickelnden interaktiven Wirbelsäule und der zugehörigen Lernanwendung zu klären.

Dazu wurde ein Einzelgespräch in Form eines Interviews mit einer dozierenden Ärztin des Instituts für Allgemeinmedizin durchgeführt. Innerhalb der initialen Aufgabenanalyse (siehe Abschnitt 2.1) hat sich die Anforderung an eine tangible, interaktive Wirbelsäule ergeben, sowie eine virtuelle Repräsentation zu dieser, um Interaktionen daran nachverfolgbar zu visualisieren. Durch das Interview soll zudem geklärt werden, welche Interaktionsstile am tangiblen Modell ausgeführt werden sollen und welche Anforderungen an das virtuelle Pendant gestellt werden. Der Fokus des Interviews lag daher auf der Erfassung der Anforderungen bezüglich der möglichen Interaktionen am tangiblen Modell sowie der Darstellung und Detailstufe der virtuellen Repräsentation. Zusätzlich sollten weitere Metainformationen zum Untersuchungskurs selbst gesammelt werden, wie die Teilnehmerzahl und bereits vorhandene Werkzeuge zur Lernunterstützung sowie die Erfassung von Leistungsnachweisen von Studierenden.

Interaktionen mit Wirbelsäulenmodell

Im Interview sollte herausgefunden werden, in welcher Form das aktuell verwendete physische Wirbelsäulenmodell im Untersuchungskurs einbezogen wird und welche Handlungsschritte dadurch veranschaulicht werden. Im Verlauf des Interviews wurde daher erfragt, welche Interaktion im aktuellen Zustand der Lehre am Wirbelsäulenmodell durchgeführt werden beziehungsweise wie die Wirbelsäule während des Untersuchungskurses genutzt wird.

Daraufhin erklärte die dozierende Ärztin, dass an der Wirbelsäule verschiedene Strukturen gezeigt und benannt werden. Diese werden in einen medizinischen Kontext gebracht, das heißt es wird thematisiert, welche Strukturen bei welchen Erkrankungen beziehungsweise Symptomen involviert sind. Es wurde ebenfalls darauf eingegangen, welche Strukturen bei einer Therapie beispielsweise durch Ausübung von Druck mit den Fingern oder Händen vorsorglich behandelt werden können.

In diesem Zusammenhang wurde verdeutlicht, dass untersuchte Strukturen, wie zum Beispiel Wirbelknochen, nicht als alleinstehende Objekte untersucht werden, sondern umliegende Strukturen stets mit betrachtet werden. Diese kontextbezogene Untersuchung der anatomischen Strukturen bezieht sich sowohl auf die Erklärung des Zusammenwirkens der Strukturen als auch auf die Schilderung zur therapeutischen Behandlung. Das physische Modell ist dabei so beschaffen, dass es problemlos gedreht werden kann, sodass eine Demonstration der thematisierten Strukturen aus unterschiedlichen Perspektiven möglich ist.

Anforderungen an das virtuelle Abbild

Des Weiteren galt es zu klären, in welcher Detailstufe das virtuelle Abbild zur Wirbelsäule vorliegen soll. In einer auf das Interview vorbereitende Recherche wurden dazu zwölf virtuelle Modelle zu anatomisch korrekten Wirbelsäulen verschiedener Webportale zum Vertrieb von 3D-Modellen gesammelt (siehe Anhang I im elektronischen Zusatzmaterial).

Die gesammelten Modelle unterschieden sich dabei bezogen auf die Detailstufe durch die Anzahl der Polygone, photorealistischer oder minimalistischer Texturen sowie Reflexionsfähigkeit der Oberflächen. Ein weiterer Unterschied der recherchierten Modelle war die Einbeziehung verschiedener anatomischer Schichten. Während sich acht Modelle lediglich auf die Darstellung von Knochenstrukturen und

Ligamenten beschränkten, waren bei den anderen Modellen auch Muskelschichten und bei drei davon ebenfalls das zentrale Nervensystem dargestellt.

Bei der Sichtung der gesammelten Modelle ergab sich die Präferenz für ein Modell, welches sowohl Muskelstrukturen im umliegenden Bereich der Wirbelsäule sowie das zentrale Nervensystem beinhaltet und zudem eine hohe Detailstufe aufweist.

Lernunterstützungen und weitere Kursinformationen

Neben Fragen zur Interaktion am Wirbelsäulenmodell und den Anforderungen an die virtuelle Repräsentation galt es einen ersten Überblick über das organisatorische Umfeld zu erfassen. Dabei konnte geklärt werden, dass die Anzahl teilnehmender Studierender variabel ist, aber generell Gruppengrößen von höchstens etwa zwölf Teilnehmenden auftreten. Dies betrifft ausschließlich den Untersuchungskurs und ist der Tatsache geschuldet, dass im Rahmen dieser Lehrveranstaltung auch das Ausprobieren der erlernten Behandlungsschritte und Handgriffe mit Kommilitonen geübt und mit Dozierenden besprochen werden können. Diese interaktive Form der Lehre ist bei einer größeren Zahl von Teilnehmenden laut der Dozierenden nicht durchführbar. Allerdings ist die Idee des Lehrstuhls des Instituts für Allgemeinmedizin, den Einsatz einer interaktiven Wirbelsäule nicht auf den Untersuchungskurs zu beschränken. Ein interaktives Lehrmedium, auch für andere anatomische Strukturen als die Wirbelsäule, könnte in anderen Lehrveranstaltungen zur anschaulichen Demonstration eingesetzt werden. Dabei sind Lehrveranstaltungen mit größerer Teilnehmerzahl beispielsweise in Vorlesungen zur Anatomie und Physiologie denkbar.

Ein weiteres Thema des Interviews war die Überprüfung erreichter Lernziele für Studierende. Damit ist gemeint, ob Studierende eine Möglichkeit haben das erlernte Wissen anzuwenden und Feedback darüber zu erhalten, ob die vermittelten Themen verstanden wurden. Aufgrund der interaktiven Gestaltung des Untersuchungskurses können Studierende die demonstrierten Behandlungsschritte im Rahmen der Lehrveranstaltung üben und dazu Feedback durch Dozierende erhalten. Eine Wissensabfrage der theoretischen Inhalte für den Lernprozess außerhalb der Lehrveranstaltung, beispielsweise durch die Bereitstellung von Tests über *Assessment Software* innerhalb einer Lernplattform, ist bisher noch nicht umgesetzt. Die Idee einer derartigen Wissensüberprüfung wurde jedoch als sinnvoll erachtet, um Studierenden die Möglichkeit zur Einsicht über erreichte Lernziele zu geben und damit eine Lernunterstützung zur Verfügung zu stellen (Tabelle 2.2).

Tabelle 2.2 Anforderungen auf Basis der Analyse der Einsatzumgebung

	Resultierende benutzerbezogene Anforderungen
•	**Anreicherung** der virtuellen anatomischen Strukturen **mit Zusatzinfos** zur Bezeichnung, Funktion und Involviertheit bei bestimmten Symptomen.
•	**Verstärkung der Nachvollziehbarkeit** bei der Demonstration am Wirbelsäulenmodell durch eine **Visualisierung der durchgeführten Interaktionen** und der **Hervorhebung der dabei berücksichtigten Strukturen** im virtuellen Abbild.
•	Der Umgang mit der interaktiven Wirbelsäule soll keinen Mehraufwand zum bisher eingesetzten physischen Modell verursachen sondern auf gewohnten und **einfachen Interaktionen** basieren.
•	Das interaktive Wirbelsäulenmodell soll die bereits vertrauten Interaktionsstile zur **Selektion von anatomischen Strukturen** und dem **Rotieren des Modells** unterstützen.
•	Um den **räumlichen Kontext** zu einer fokussierten anatomischen Struktur aufzuzeigen, soll das virtuelle Abbild neben **Knochenstrukturen und Ligamenten** ebenfalls **Muskelschichten** sowie das **zentrale Nervensystem** beinhalten.
•	Das virtuelle Abbild soll eine **hohe Detailstufe** und **anatomische Korrektheit** aufweisen.
•	Das interaktive **Wirbelsäulenmodell** wird während der Demonstration im Raum bewegt und **muss** daher **mobil sein**, damit es Dozierende während der Vorführung nicht in ihrer Bewegung einschränkt.

2.3 Benutzeranalyse

Neben der Erfassung der Aufgaben, welche potenzielle Anwender:innen mit dem interaktiven System bewältigen wollen, ist es ebenso wichtig eine Erfassung der Nutzenden selbst durchzuführen. Dies wird im Rahmen einer Benutzeranalyse umgesetzt. Bei dieser Phase der Anforderungsanalyse geht es darum, die potenziellen Anwender:innen der Software kennenzulernen. Nach Preim und Dachselt ist die Benutzeranalyse dabei wie folgt definiert [21]:

«Die Benutzeranalyse ist Teil eines breit angelegten Analyseprozesses im Rahmen der Software- und User Interface-Entwicklung, dessen Ziel ein vertieftes Verständnis von Benutzern mit ihren Fähigkeiten, Qualifikationen, Rollen und Wertvorstellungen ist. Die Analyse muss sich gegebenenfalls auf mehrere relevante Gruppen von Benutzern beziehen.»

Nach dieser Definition beinhaltet die Benutzeranalyse damit unter anderem die Identifikation von Benutzergruppen, welche anhand der Fähigkeiten und Bedürfnisse der Nutzenden abgeleitet werden [21]. Die Unterschiedlichkeit der Benutzergruppen und ihrer jeweiligen Ziele spiegelt sich nachfolgend bei der Konzeption und Realisierung in einer unterschiedlichen Präsentation von Inhalten und diversen Benutzermodi wider [71]. Anschließend werden Merkmale bezüglich der identifizierten Benutzergruppen erfasst. Diese beinhalten neben allgemeinen demographischen Daten unter anderem deren Fähigkeiten, wie beispielsweise die Vertrautheit mit Technik und deren Motivation zur Nutzung der zu entwickelnden Anwendung. Abschließend werden auf Grundlage der Benutzergruppen und ihrer Merkmale Personas definiert, die als potenzielle Anwender:innen der zu entwickelnden Software angesehen werden können. Diese fiktiven Benutzer:innen werden mit aussagekräftigen Persönlichkeitsmerkmalen versehen, um daraufhin eine Ableitung der vermuteten Nutzung und Einschätzung bezüglich des zu entwickelnden Systems vorzunehmen [21][71][72]. Dabei ist darauf zu achten, dass eine Persona nicht schematisch einer konkreten Benutzergruppe zuzuordnen ist [21]. Im ersten Schritt der Benutzeranalyse folgt nun, entsprechend der Definition von Preim und Dachselt, die Identifikation und Abgrenzung relevanter Benutzergruppen.

2.3.1 Identifikation von Benutzergruppen

Wie aus Kapitel 1 hervorgeht, handelt es sich bei dem System um eine Lehr- und Lernanwendung, welche im Bereich des Studiums für Allgemeinmedizin an der *UzL* eingesetzt werden soll. Hieraus lässt sich ableiten, dass sich die Benutzer:innen in die zwei unterschiedlichen organisatorischen Rollen der Lehrenden (oder Dozierende) und Lernenden (oder Studierende) einordnen lassen. Die Unterteilung in diese beiden Gruppierungen basiert dabei auf der Annahme, dass Dozierende die Bildungssoftware zu Lehrzwecken beziehungsweise der Wissensvermittlung nutzen. Studierende wiederum verfolgen das Ziel die Anwendung als Lernmedium zu nutzen, welches sie beim Lernprozess durch eine anschauliche Präsentation der Lernobjekte unterstützt und sie bei ihrer Lernaktivität motivieren soll. Nachfolgend werden die beiden identifizierten Benutzergruppen im Detail auf ihre Merkmale hin untersucht. Dabei werden die relevanten Aspekte nach dem Usability Engineering Lifecycle von Mayhew [73] berücksichtigt, welche wie folgt definiert sind:

- Alter und Geschlecht
- Körperliche Fähigkeiten bzw. Behinderungen
- Ausbildung (allgemeines Ausbildungsniveau und spezifische Schulungen)

- Motivation
- Computervertrautheit
- Vertrautheit mit einer bestimmten Rechnerplattform
- Vertrautheit mit dem Problem beziehungsweise Anwendungsgebiet
- Intensität der Anwendung
- Kulturkreis (Semantik von Farben und Icons)

Ausgeschlossene Parameter

Bei der Benutzeranalyse zur Entwicklung des interaktiven Systems in dieser Arbeit werden die Parameter des Geschlechts, Ausbildung oder Kulturkreis nicht berücksichtigt, da sie keinen Einfluss auf die Nutzung des Systems haben. Im Bezug auf das Alter wird davon ausgegangen, dass sich Anwendende im Alter von 18 und 65 Jahren befinden. Dabei wurden die Altersgrenzen und das durchschnittliche Alter von Studierenden [148] und Dozierenden [74] berücksichtigt. Im Vorfeld wurde untersucht, ob das Alter eine relevante Größe ist, um die Tendenz zur Nutzung der interaktiven Wirbelsäule erfassen zu können. Die Affinity for Technology Interaction Scale (ATI-Skala) beschreibt dazu ein Verfahren, um die Technikaffinität von Nutzenden zu bewerten [75]. Hierzu wurde in verschiedenen Studien untersucht, ob es Zusammenhänge zwischen dem Alter und der generellen Tendenz zur Nutzung interaktiver Technologien gibt. Es konnte nur eine schwache signifikante Korrelation zwischen dem Alter der Probanden und dieser Tendenz festgestellt werden [75], weshalb dieser Parameter in der Benutzeranalyse nicht priorisiert wird.

Gleichbehandelte Parameter

Bei dem Parameter der körperlichen Fähigkeiten und Behinderungen wird keine Unterscheidung zwischen den beteiligten Benutzergruppen vorgenommen. Sowohl für Dozierende als auch Studierende gilt, dass bei einer Einschränkung der Visuomotorik die Interaktionsfähigkeit mit dem System beeinträchtigt oder sogar ausgeschlossen ist. So kann bei einer Beeinträchtigung der Auge-Hand-Koordination keine reibungslose Bedienung mit dem System gewährleistet werden, da sie die fehlerfreie Bedienung eines physischen Eingabegeräts ausschließt. Dies trifft ebenfalls auf die vollständige Lähmung oder Verlust der Hände zu. Im Rahmen dieser Arbeit wird neben der haptischen Eingabe entweder durch Berührung des interaktiven physischen Wirbelsäulenmodells oder per Maus-Eingabegerät keine weitere Form der Interaktion unterstützt. Weitere Interaktionsformen, die zusätzliche Personengruppen mit einschließen können, werden in einem abschließenden Ausblick thematisiert (siehe Kapitel 8).

Im weiteren Verlauf dieser Benutzeranalyse erfolgt nun die differenzierte Untersuchung der identifizierten Benutzergruppen anhand der verbleibenden, relevanten Aspekte des Usability Engineering Lifecycles nach Mayhew [73].

Dozierende

Die Lehre an der *UzL* ist in vielen Bereichen bereits digital gestaltet. Es existieren *LMS* zur Verwaltung von Kursen und der Distribution multimedialer Inhalten. Vorlesungen und Praktika werden zu einem großen Anteil durch digitale Medien unterstützt [76]. Die Aufbereitung dieser digitalen Lehrmaterialien obliegt dabei den Dozierenden selbst. Daher kann davon ausgegangen werden, dass grundlegende bis erweiterte Kenntnisse im Umgang mit Computersystemen und Software vorliegen. Nichtsdestotrotz darf die Bedienung der interaktiven Wirbelsäule während der Demonstration nicht die vollständige Aufmerksamkeit der Dozierenden beanspruchen. Vielmehr soll die Interaktion damit ebenso natürlich wirken wie die Demonstration an den bisher eingesetzten physischen Anatomiemodellen, die über keine eingebettete Benutzerschnittstelle zur Bedienung einer Softwareanwendung verfügen. Der Fokus der Dozierenden liegt auf der anschaulichen Gestaltung der Lehre und nicht auf der Bezwingung einer Softwareanwendung [77][78]. Die Motivation zur Nutzung ist damit die nachvollziehbare Präsentation der behandelten Lehrinhalte zur Förderung des Verständnisses ihrer Studierenden [149]. Für Dozierende soll die Anwendung einer Bildungstechnologie beziehungsweise der interaktiven Wirbelsäule daher keinen Mehraufwand, sondern eine Erleichterung bei der Gestaltung der Lehre mit sich bringen. Für die Konzeption der interaktiven Wirbelsäule (siehe Kapitel 4) bedeutet dies, dass trotz des bisherigen Einzugs der digitalen Gestaltung der Lehre an der *UzL* der Umgang mit der interaktiven Wirbelsäule und der zugehörigen Software leicht zu erlernen sein muss und durch eine gewohnte und einfache Interaktion ermöglicht wird.

Studierende

Ebenso wie die anschauliche Gestaltung der Lehre durch Dozierende ist die Verarbeitung aufgenommener Informationen und deren Vertiefung sowie der Transfer auf neue Problemstellungen eine fordernde Tätigkeit für Studierende. Dieser Lernprozess und Wissenstransfer kann, wie in Abschnitt 1.3.1 untersucht, durch den Einsatz multimedialer Technologien in Form von Bildungstechnologie unterstützt werden [79][80][81].

Studierende sind mit dem Umgang von Bildungstechnologien häufig schon vertraut [82]. Im Rahmen ihres Studiums verwenden sie von ihrer Hochschule bereitgestellte Lernplattformen zur Bearbeitung von Studienaufgaben, zur Kursverwaltung oder auch zur Teilnahme an digitalen Vorlesungen [150]. Neben dem Umgang mit digitalen Medien im Kontext des Studiums ist auch die Freizeitgestaltung durch die Nutzung digitaler Medien und dem Einsatz von Technologie geprägt [83][84]. Häufig für den Zugriff auf digitale Medien genutzte elektronische Geräte sind Computer, Smartphones oder Spielekonsolen [83]. Diese werden sowohl zur Unterhaltung, Kommunikation als auch zur Informationsgewinnung genutzt. Beliebte Aktivitäten sind die Vernetzung und der Austausch über soziale Medien, Multimedia-Streaming oder die Nutzung von Spielesoftware [85][151][86]. Das Interesse an digitalen Technologien und die Bereitschaft diese auch im Lernkontext zu nutzen, wird daher als hoch eingestuft.

Diese Vermutung wird durch eine positive Rückmeldung im Bezug auf Bildungstechnologie bestätigt [82]. Studierenden wünschen sich in ihrer akademischen Ausbildung eine Umstellung zu einer interaktiven, kreativen und motivierenden Gestaltung der Lehre [87][88]. Besonders der Einsatz multimedialer Inhalte zur Schaffung einer neuen Repräsentation der zu erlernenden Themen, wie die Kombination aus Bildern, Animationen, Simulationen oder virtueller Umgebungen, wird bevorzugt. [89][90][91].

Diese Variante des Lernens wird von Richard E. Mayer als *Multimedia Learning* definiert [37]. Darin beschreibt er, dass Menschen beim Lernen separate Kanäle zur Aufnahme von visuellen, gehörten und gelesenen Informationen nutzen können. Diese Kanäle verfügen über eine limitierte Kapazität bei der Menge der aufzunehmenden Informationen zur gleichen Zeit. Sofern diese Informationsverarbeitung aber auf mehrere Kanäle verteilt wird, kann ein verstärkter Wissenstransfer erreicht werden. Dieser durch verschiedene Studien festgestellte Effekt wird durch die Bevorzugung dieser Lernvarianten auf der Seite der Studierenden und dem erhöhten Lernerfolg gestützt [92][93].

Ein weiteres Problem, mit dem Studierende konfrontiert sind, ist das Zusammenfügen einzelner Wissensbausteine zu einem Gesamtbild. So können individuelle Teilbereiche eines Sachverhalts verstanden worden sein, allerdings ist es aufgrund der abstrakten Präsentation und Vermittlung der Inhalte schwierig, diese einzelnen Wissensbausteine zusammenzufügen und Zusammenhänge zu erkennen [94]. Hierbei kann ebenfalls der Einsatz multimedialer Inhalte unterstützen, indem beispielsweise Simulationen zu einem Sachverhalt oder Themenkomplex eingesetzt werden [95]. Im Bereich der medizinischen Ausbildung können solche Wissensbausteine zum Beispiel das Faktenwissen zu einzeln betrachteten anatomischen Strukturen oder Systemen wie der Wirbelsäule, dem Nervensystem und der Muskulatur sein. Durch eine Kombination der einzelnen Themen, beispielsweise in Form einer Simulation, kann deren Zusammenwirken anschaulicher vermittelt werden [96]. Dieser Lernprozess, bei dem Zusammenhänge zwischen Lehrinhalte geknüpft werden, wird als *Kumulatives Lernen* bezeichnet.

Für eine Steigerung des Lernerfolgs bedarf es für Studierende jedoch nicht ausschließlich einer anschaulichen Präsentation der Lehrinhalte und Unterstützung effi-
zienter Lernmethoden, beispielsweise durch *Multimedia Learning*. Studierende sind
mit einem permanentem Leistungsdruck aufgrund bevorstehender Prüfungen oder
der Erfüllung von Prüfungsvorleistungen konfrontiert [97][98][59]. Das erfolgreiche Absolvieren eines Studiums und der Erhalt der Qualifikation über ein abgeschlossenes Studium erfordert damit die regelmäßige Erfüllung derartiger Pflichten
und Aufgaben. Zur Bewältigung dieser Verantwortlichkeiten ist daher eine regelmäßige Auseinandersetzung mit den Lerninhalten in Form von Lernaktivitäten notwendig [99][100][101]. Um diese regelmäßige Lernaktivität leisten zu können, benötigen Studierende Motivation, die im Zusammenhang der Aneignung von Wissen im
Studium häufig mit dem Begriff *Akademische Motivation* bezeichnet wird [102].

Die *Akademische Motivation* geht dabei über das Interesse an einem Thema hinaus. Der Begriff beschreibt viel mehr den Wunsch, mehr über ein Thema lernen
zu wollen, Neues darüber zu erfahren und das Wissen auf neue Problemstellungen
anwenden zu wollen. Das Vorhandensein oder das Fehlen Akademische Motivations
ist unter Studierenden kein statischer Zustand, sondern ein fortlaufender Prozess,
der durch interne und externe Faktoren beeinflusst wird. Der zuvor genannte Leistungsdruck und die damit verknüpfte Versagensangst ist dabei ein externer Faktor,
der sich positiv auf die *Akademische Motivation* auswirken kann und zum Lernen
motiviert [102][103]. Allerdings ist es naheliegend, dass dies zu keiner angenehmen Lernaktivität beiträgt und keine langfristige Lösung zur Aufrechterhaltung der
Akademischen Motivation von Studierenden darstellt.

Um eine angenehme und zusätzlich unterhaltende Lernerfahrung zu schaffen,
welche Studierende zu einer regelmäßigen Lernaktivität motiviert, wird daher
eine Integration von Gaming-Elementes in die Lernanwendung angestrebt (siehe
Abschnitt 4.3). Dabei gilt es in der Konzeption zu untersuchen, welche Spielmechaniken sich in einer interaktiven Lernanwendung anbieten und zudem auf die
Interessen der Benutzer:innen beziehungsweise Spieler:innen angepasst sind (siehe
Abschnitt 4.3.1).

Die Motivation der Studierenden zur Nutzung der Lehr- und Lernanwendung
ist daher, neben einer anschaulichen Darstellung abstrakter Lehrinhalte und deren
interaktiver und selbstbestimmter Untersuchung, eine angenehme und unterhaltende
Form des Lernens (Tabelle 2.3).

Tabelle 2.3 Anforderungen nach Untersuchung der Benutzergruppen und ihrer Bedarfe innerhalb der Lehre

	Resultierende benutzerbezogene Anforderungen
•	Die Lernanwendung wird von den identifizierten Benutzergruppen auf unterschiedliche Weise genutzt, weshalb jeweils ein **dedizierter Benutzungsmodus** bereitgestellt werden soll.
•	Die Aufbereitung der Lehrmaterialien und die Vermittlung relevanter Informationen obliegt den Dozierenden, daher sollen diese die **Fragestellungen** innerhalb der Lernanwendung **kursbezogen** gestaltet und aktualisieren können.
•	**Steigerung der akademischen Motivation** durch die Bereitstellung einer unterstützenden Lernanwendung, welche mithilfe von Gamification ein **spielerisches Lernen** fördert.
•	Studierende wünschen sich in ihrer akademischen Ausbildung eine **Umstellung zu einer interaktiven, kreativen und motivierenden Gestaltung der Lehre**.
•	**Verknüpfung einzelner Wissensbausteinen** zu einem Gesamtbild durch Einsatz von Simulationen, um Wechselwirkungen und das Zusammenwirken von anatomischen Strukturen zu veranschaulichen.
•	**Strukturierung der Lerninhalte** soll nach Schwierigkeitsstufen erfolgen. So soll zunächst ein Basiswissen vermittelt werden, um daraufhin aufbauende komplexere Themen verstehen zu können.

2.4   Spielertypen

Wie in Abschnitt 1.3.4 thematisiert, kann das Einbringen von Spielmechaniken und Spielelementen in Lernanwendungen einen positiven Einfluss auf die Lernmotivation und den Lernerfolg haben. Diese Entwicklung zum gamifizierten Lernen erfährt auch im Bereich der medizinischen Lehre ein wachsendes Interesse [20].

Allerdings existieren zahlreiche Varianten eine gamifizierte Lernanwendungen zu konzipieren. Diese auch als Educational Games bezeichneten Lernanwendungen werden teilweise durch Akademiker entwickelt, die nur wenig Erfahrung im Bereich der Spielekultur und der Wissenschaft von Spielen haben [152]. Dadurch besteht ein hohes Risiko, dass ein entwickeltes Lernspiel zwar qualitative Lehrinhalte beinhaltet, aber aufgrund des geringen Spaßfaktors keine Lernmotivation bei Anwendenden weckt. Auf der anderen Seite kann ein durch professionelle Spieleentwickler konzipiertes Lernspiel einen hohen Spaßfaktor haben, aber keinen positiven Einfluss auf den Lernprozess mit sich bringen [152]. Daher gilt es, bewährte Designkonzepte aus dem Bereich der Spieleentwicklung mit erfolgreichen Lehrkonzepten und qualitativen Lehrinhalten zu kombinieren.

2.4.1 Nutzen von Spielertypen

Ein entscheidender Faktor beim Design von Spielen oder auch gamifizierten Lernanwendungen und der damit einhergehenden Auswahl geeigneter Spielmechaniken ist die Berücksichtigung der Zielgruppe und ihrer Interessen [104]. In der Spieleforschung wird daher das Konzept zur Identifikation von Spielertypen angewandt. Spielertypen sind dabei Gruppierungen von potenziellen Benutzer:innen mit geteilten Präferenzen bezüglich *Gaming-Elemente* oder Spielmechaniken, die ihr Interesse wecken oder auf sie unterhaltend wirken [104]. Erst durch die Identifikation der Spielertypen innerhalb der potenziellen Benutzer:innen, können Nutzerinteressen im Designprozess des Spiels und bei der Auswahl einzusetzender Spielmechaniken berücksichtigt werden.

In der Spieleforschung hat sich in diesem Zusammenhang gezeigt, dass ein zu starker Fokus auf nur wenige *Gaming-Elementee*, wie beispielsweise eine Bestenliste, zum Misserfolg eines Spiels führen kann. Denn dabei besteht die Gefahr, nur einen einzigen Spielertyp anzusprechen. Daher gilt es zunächst die verschiedenen Spielertypen der potenziellen Nutzenden zu erfassen, um diese anschließend durch Integration eines umfassenden Spektrums bevorzugter Spielmechaniken zu unterstützen. [20]

2.4.2 Spielertypen nach dem Modell von Bartle

Ein bekannter Ansatz zur Identifikation von Spielertypen stammt von Richard Bartle, der die Einordnung an vier maßgebliche Merkmale knüpft [105]. Die Merkmale sind dabei so definiert, dass sie jeweils ein gegensetzliches Merkmal besitzen, wie in Abbildung 2.2 dargestellt. Die beiden gegensetzlichen Merkmale «Acting»und «Interacting» beschreiben dabei entweder das eigenständige Handeln oder das Handeln mit einer Sache, wie beispielsweise anderen Spieler:innen oder der Spielwelt selbst. Dadurch gewinnen auch die beiden anderen Merkmale «Players»und «World»an Bedeutung, die jeweils das Ziel einer solchen Handlung oder Interaktion werden. Aus diesen noch abstrakt wirkenden Merkmalen können folgende vier Spielertypen abgeleitet werden, welche in Abhängigkeit ihrer bevorzugten Merkmale in Abbildung 2.2 angeordnet sind:

1. **Achievers**: Bezeichnet Spieler:innen, welche bedeutende Handlungen in der Spielwelt durchführen wollen. Dazu zählt beispielsweise das Erreichen von Erfolgen, Punkten oder Belohnungen in der Spielwelt.

2. **Explorers**: Bevorzugen die Interaktion mit der Spielwelt, beispielsweise durch deren Erkundung und Entdeckung neuer Umgebungen oder Geheimnisse. Diese Spieler:innen bevorzugen eine immersive Spielwelt mit einer Geschichte.
3. **Socializers**: Diese Spieler:innen nutzen ein Spiel als Treffpunkt, um mit anderen Spielenden und Freunden zu interagieren und sich mit ihnen auszutauschen.
4. **Killers**: Zeichnen sich durch kompetitives Verhalten aus und nutzen Spiele daher, um sich mit anderen Spielenden zu messen und gegen sie anzutreten.

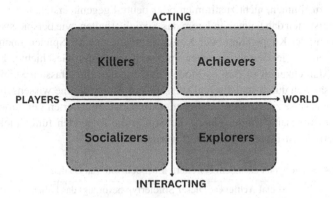

Abbildung 2.2 Spielertypen nach dem Modell von Richard Bartle. (Nach Vorlage [105])

2.4.3 Kritik an Bartles Taxonomie

Die Intention von Bartle war jedoch nicht, eine allgemeingültige Taxonomie zu Spielertypen zu entwerfen [106]. Das Modell ist stark an die Identifikation von Spielertypen im Bereich von Rollenspielen ausgelegt [20] und lässt sich daher nur bedingt auf andere Genres oder sogar Educational Games anwenden [107]. Zudem wurden die definierten Spielertypen nicht durch statistische Daten belegt, sondern basieren auf Erfahrungswerten und subjektiven Meinungen aus nicht-wissenschaftlicher Literatur [20][107]. Stattdessen konnte empirisch belegt werden, dass einige Grundannahmen bezüglich des Spielverhaltens mancher Spielertypen in Bartles Modell fehlerbehaftet sind [107][106]. Nichtsdestotrotz wird Bartles Modell als erster vielversprechender Ansatz für eine Taxonomie zur Identifikation von Spielertypen angesehen [107][106].

2.4.4 Erweiterung des Modells von Bartle: Spielertypen nach Van Gaalen

Basierend auf dem Modell von Bartle wurde daher ein weniger genre-spezifisches Modell zur Identifikation von Spielertypen in einer Studie unter Studierenden im Fachbereich Medizin an der Universität Groningen in der Niederlande durchgeführt [20]. Probanden der Studie sollten dabei insgesamt 49 Aussagen bezüglich bevorzugter Spielmechaniken sortieren, indem sie Angaben darüber machten, ob sie diesen zustimmen, nicht zustimmen oder neutral gegenüberstehen. Die Aussagen thematisierten dabei unter anderem das Sozialverhalten, wie beispielsweise die Bevorzugung der Kooperation oder Konkurrenz mit anderen Spieler:innen, sowie Erwartungen an die Gestaltung einer Spielwelt und deren Geschichte. Es weist insoweit Ähnlichkeiten zu Bartles Modell auf, fundiert die erfassten Spielertypen jedoch zusätzlich durch statistische Daten und ist daher für eine wissenschaftliche Herangehensweise zur Konzeption der angestrebten gamifizierten Lernanwendung geeigneter. Insgesamt wurden durch die Studie die folgenden fünf Spielertypen identifiziert, die in Tabelle 2.4 erläutert werden:

Tabelle 2.4 Spielertypen nach dem erweiterten Modell von Van Gaalen

	Social Achiever: Dieser Spielertyp bevorzugt das kollaborative Erreichen von Zielen und Erfolgen in einem Spiel.
	Explorer: Spielende dieses Typs favorisieren das Erkunden und Verändern einer Spielwelt im Alleingang. Dabei ist ihnen die Immersion durch eine spannende Geschichte besonders wichtig.
	Competitor: Diese Spieler:innen legen großen Wert auf das Gewinnen in einem Spiel. Sie suchen den Wettkampf zu anderen Spieler:innen, aber auch zu computergesteuerten Gegnern. Zudem favorisieren sie die Demonstration ihrer Leistungen.
	Socializer: Nutzt die Aktivität des Spielens, um sich mit anderen Spielenden zu treffen und auszutauschen. Das primäre Ziel ist eine soziale Zusammenkunft. Dabei soll das Verlieren keine ausgeprägten negativen Konsequenzen haben und das Erreichen von Zielen einfach sein.
	Troll: Dieser Spielertyp kompensiert das eigene Desinteresse an einem Spiel durch das Anwenden von *Cheats*, Ausnutzen von Fehlern im Spiel zum eigenen Vorteil und das Verärgern und Belästigen anderer Spieler:innen.

Dadurch, dass die konzipierten Fragestellungen innerhalb der Studie den Bildungskontext der Probanden, also die medizinische Lehre, nicht mit einbeziehen, können die erfassten Spielertypen auch im Bereich anderer Disziplinen auftreten [20]. Das bedeutet, dass die genannten Spielertypen auch Studierenden anderer Studiengänge (beispielsweise natur- , geistes- oder rechtswissenschaftliche Studiengänge) zugeordnet werden können. Die von Van Gaalen et al. [20] erzielten Ergebnisse werden jedoch als ersten Anhaltspunkt über die Verteilung der Spielertypen unter Medizinstudierenden bei der Konzeption der zu entwickelnden Lernanwendung genutzt, welche in Abbildung 2.3 dargestellt ist.

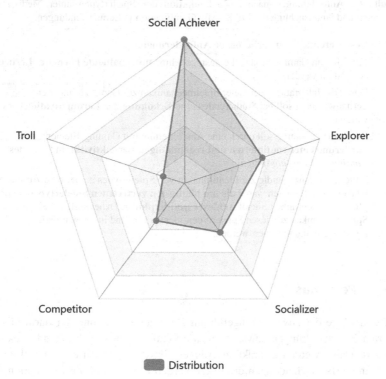

Abbildung 2.3 Verteilung der Spielertypen unter Studierenden im Fachbereich Medizin der Universität Groningen. (Nach Vorlage [20])

Wie zuvor erwähnt, ist es ratsam, bei der Konzeption eines Spiels die Präferenzen mehrerer Spielertypen zu unterstützen. Abbildung 2.3 zeigt, dass der Spielertyp Social Achiever unter den befragten Medizinstudierenden am häufigsten vertreten ist (12 von 30 Probanden). Dementsprechend wird sich die Konzeption auf die von diesem Spielertypen bevorzugten Spielmechaniken fokussieren. Der am zweithäufigsten ermittelte Spielertyp ist der Explorer (7 von 30 Probanden). Auch die von diesem präferierte Spielweise wird in der Konzeption adressiert. Durch die Berücksichtigung dieser beiden Spielertypen in der Konzeption dieser Arbeit (siehe Abschnitt 4.3), werden bereits die Interessen von 66 % (19 von 30 Probanden) der potenziellen Nutzer abgedeckt. Da sich die restlichen 33 % (11 von 30 Probanden) auf drei Spielertypen verteilen, werden die von diesen Spielertypen präferierten Spielmechaniken im Verlauf dieser Arbeit nicht primär einbezogen (Tabelle 2.5).

Tabelle 2.5 Anforderungen nach einer Prädiktion der Spielertypen unter Medizinstudent:innen und Untersuchung der Effekte von Gamification in Lernanwendungen

👤	**Resultierende benutzerbezogene Anforderungen**
•	Mithilfe von Gamification soll eine angenehme **unterhaltende Form des Lernens** geschaffen werden.
•	Durch die Integration geeigneter Spielmechaniken zur Gamifizierung der Lernanwendung soll bei Studierenden eine **Erhöhung der Lernmotivation** erzielt werden.
•	Die Lernanwendung soll durch eine Anreicherung mit Gaming-Elementes zur **Förderung einer routinierten und regelmäßigen Lernaktivität** im Sinne des *Continuous Learning* führen.
•	Im Rahmen einer Studie zur Identifikation von Spielertypen an der medizinischen Universität Groningen waren die **am häufigsten vertretenen Spielertypen** unter Medizinstudent:innen **Social Achiever und Explorer**. Daher sollen geeignete Spielmechaniken zu diesen Spielertypen identifiziert und in die gamifizierte Lernanwendung integriert werden.

2.5 Personas

Auf Grundlage der zuvor durchgeführten Benutzeranalyse und der darin identifizierten Benutzergruppen sowie deren Merkmale werden nachfolgend Personas definiert. Dabei werden Charakterisierungen fiktiver Personen erstellt, auf deren Basis Entwurfsentscheidungen diskutiert werden können und die Konzeption der zu entwickelnden Bildungstechnologie verfeinert werden kann. Diese intensivere Form der Benutzeranalyse wurde von Cooper [72] vorgeschlagen. Personas sollen dabei helfen, Entwicklern ein konsistentes Bild potenzieller Benutzer:innen beziehungsweise einer Benutzerzielgruppe zu vermitteln. Dadurch soll eine Empathie bezüglich der potenziellen Benutzer:innen entstehen, wodurch deren Reaktion auf bestimmte Designentwürfe abgewägt werden kann.

Cooper schlägt bei der Erstellung von Personas vor, sie mit einem Namen, einem Profilbild, deren Beruf sowie fachspezifischen Fähigkeiten und der vermuteten Nutzung des interaktiven Systems zu definieren. Des Weiteren soll der Charakter durch eine Beschreibung über das Freizeitverhalten sowie persönliche Ziele und Einstellungen verfeinert werden. Dabei werden für eine optimale Aufwand-Nutzen-Relation eine Erstellung von maximal vier Personas empfohlen.

Herczeg definierte dazu eine Erweiterung und erwähnt darin die zusätzliche Nennung von Familienverhältnissen, Sprachkenntnissen und Nationalität [71] zugunsten einer anschaulicheren Beschreibung der fiktiven Personen. Aufgrund des Bezugs des zu entwickelnden interaktiven Systems zur Lehre wird zusätzlich die Erweiterung zur Persona-Beschreibung von Pruitt und Grudin [108] berücksichtigt. Sie beziehen zusätzlich das Lernverhalten der Personen bei der Charakterisierung mit ein.

Nachfolgend werden auf Grundlage der zuvor beschriebenen Verfahren der Persona-Beschreibung jeweils eine fiktive Person zu den beiden identifizierten Benutzergruppen definiert. Innerhalb der Konzeption werden die Interessen, Motivationen und Ziele der Personas genutzt, um Entwicklungsideen zu bewerten und die Gestaltung der Anwendung an ihre Ziele und Interessen anzupassen (siehe Kapitel 4).

2.5.1 Dozentin

Abbildung 2.4 Persona Dr. Eichmann

Dr. Jana Eichmann (Abbildung 2.4) ist 36 Jahre alt und arbeitet seit 7 Jahren als praktizierende Ärztin und Lehrkraft in der medizinischen Ausbildung. Dabei ist sie stets bestrebt ihren Studierenden eine gute und zeitgemäße Lehre zu bieten. Sie ist daran interessiert neue Technologien einzusetzen, denn sie weiß aus ihrem eigenen Studium, dass es anstrengend ist nur anhand von Büchern und den Worten der Dozierenden zu lernen. Sie hat selbst eine negativ behaftete Erinnerung an das stundenlange Lernen mit Fachbüchern und hätte sich eine interaktive Form der Wissensvermittlung gewünscht.

Um ihre Lehre anschaulich zu gestalten, nutzt sie in ihrer Vorlesung digitale Medien, sofern sie sich ihrer Meinung nach anbieten und zum Verständnis der Inhalte beitragen können. Für die Kursverwaltung und Verteilung ihrer Lehrinhalte nutzt sie die digitale Lernplattform *Moodle*. Darüber erstellt sie für abgeschlossene Lernkapitel freiwillige Tests für ihre Studierenden, damit diese eine Möglichkeit zur Reflexion ihres Faktenwissens erhalten.

Dr. Eichmann beschreibt sich selbst als technikvertraut, aber würde ihre Kenntnisse dazu als grundlegend bezeichnen. Sie nutzt neue Technik gerne, allerdings möchte sie, dass die Dinge problemlos und ohne aufwändige Konfiguration funktionieren. Durch ihren Ehemann hat sie stets Kontakt zu neuer, markttauglicher Technologie, denn er ist ein begeisterter Spieler von Videospielen und nutzt dabei gerne VR-Technologie oder domänenspezifische Gamecontroller für Renn- oder Flugsimulatoren. Auch Dr. Eichmann probiert diese Technologien gerne aus und ist begeisterte Spielerin des Rhythmusspiels «Beat Saber».

Dr. Eichmann trifft sich regelmäßig mit jahrelangen Freunden, die sie größtenteils noch aus ihrem Medizinstudium kennt. Sie treffen sich zum gemeinsamen Kochen und anschließenden Partien verschiedener *Pen-&-Paper-Rollenspiel* wie «Call of Cthulhu» und «Das schwarze Auge». Jana nutzt das Spielen somit häufig als soziale Aktivität und kann daher dem Spielertyp «Social Achiever» zugeordnet werden. Denn besonders gut an diesen Spielen gefällt ihr, dass sie in Kooperation mit ihren Freunden herausfordernde Abenteuer besteht und sie ihre Fähigkeiten im Laufe des Spiels stetig weiterentwickeln kann.

> «Während meines Medizinstudiums hatte ich immer wieder Schwierigkeiten, die große Menge an Informationen einer Vorlesung zu verarbeiten. Das versuchte ich dann durch langes und anstrengendes Durcharbeiten von Lehrbüchern zu kompensieren. Daher möchte ich meinen Studierenden eine spannendere Form der Lehre bieten, bei der sie auch anwendungsorientiert lernen können.»

2.5.2 Student

Lukas (Abbildung 2.5) ist 27 Jahre alt und befindet sich im 3. Semester seines Medizinstudiums in Lübeck. Nach seinem erfolgreichen Abiturabschluss wusste Lukas nicht, wie sein beruflicher Werdegang aussehen sollte. Ohne sich näher mit der Thematik zu beschäftigen, folgte er dem Vorbild seiner Eltern, die beide Mediziner sind. Lukas konnte sowohl zur Zeit seiner Abiturprüfungen als auch jetzt im Studium immer gut mit Fachbüchern lernen, wenn er auch viel Zeit dafür investierte. Beim Lernen verwendet er ein Karteikarten-System, mit dem er Faktenwissen durch die Beantwortung auf Karten notierter Fragen immer wieder übt.

Abbildung 2.5 Persona Lukas

Neben den Vorlesungen verbringt er viel Zeit in der Bibliothek, um die Lehrinhalte der Vorlesungen aufzuarbeiten. Er ist jedoch kein Einzelgänger im Studium. Durch seinen humorvollen Charakter und seine empathische Art hat er in Lübeck unter seinen Kommilitonen, einen netten Freundeskreis aufbauen können. Viele seiner Freunde können sich dabei nicht so diszipliniert wie Lukas stundenlang mit Fachbüchern beschäftigen und nutzen größtenteils lieber mediale Technologien, um die Themen ihrer Anatomie- und Physiologie-Kurse aufzuarbeiten. Lukas steht dem Ganzen sehr offen gegenüber. Er besteht nicht auf das Lernen mit Büchern. Auch er findet es interessant, wie die Anatomie des Menschen in diverser Lernsoftware virtuell erkundbar ist.

Neben dem Studium ist Lukas ein begeisterter Spieler der Videospielreihe «The Witcher». Nachdem er als Teenager die Fantasyromane von Andrzej Sapkowski gelesen hatte, konnte er es kaum erwarten, die facettenreiche Welt dieser Bücher endlich selbstbestimmt zu erkunden. Lukas gefällt es besonders, dass er die riesige Spielwelt frei erkunden kann und immer wieder neue Orte entdeckt. Er entspricht daher dem Spielertyp «Explorer», welcher besonders durch eine komplexe Spielgeschichte und eine detaillierte Spielwelt angesprochen wird. Um vollkommen in die ursprüngliche Atmosphäre der Spielwelt abzutauchen, bevorzugt er zudem das Spielen in der Originalsprache Polnisch. Er hat es als Teenager nicht geschafft seine Sprachkenntnisse soweit auszubauen, um die Bücher ebenfalls auf Polnisch zu lesen. Inzwischen ist er jedoch bestrebt, seine Polnischkenntnisse so zu erweitern, dass er die kurzen Dialoge im Spiel gut verstehen kann. Daher übt er täglich vor dem Schlafen über eine Lernsoftware mit seinem Tablet. Dabei ist es ihm besonders wichtig, dass er ein bis zwei Lernsektionen innerhalb kurzer Zeit zum Ausklang des Tages abschließen kann.

> «Ich lerne am effektivsten, wenn ich das Gelernte direkt anwenden kann und Feedback erhalte. Daher lerne ich gerne mit Karteikarten, bei denen ich direkt erfahre, ob ich falsch oder richtig geantwortet habe. Das stundenlange Durchwälzen der Fachbücher ist daher nicht meine favorisierte Form des Lernens, sondern ist mehr zu einer Gewohnheit geworden.»

2.6   Kontextanalyse

Im Rahmen der Kontextanalyse innerhalb der Anforderungsanalyse nach Preim und
Dachselt [21], werden ebenfalls die Rahmenbedingungen analysiert, an die das zu
entwickelnde System ausgerichtet wird. Dazu gehören zum einen organisatorische
Bedingungen, welche sich unter anderem auf Verwaltungsprozesse beziehen. Im
Rahmen dieses Projekts im Bereich der Lehre betrifft dies beispielsweise die Bereitstellung der Bildungstechnologie für die Dozierenden. Dabei muss gleichermaßen
betrachtet werden, wie Studierende Zugang zur interaktiven Wirbelsäule und der
zugehörigen Lernanwendung erhalten können. Außerdem ist es wichtig mit einzu-
beziehen, wie die Lernanwendung mit kursbezogenen Wissensfragen befüllt wird,
mit denen Studierende bei der Nutzung in ihrem Lernprozess konfrontiert werden.
     Des Weiteren werden räumliche Bedingungen betrachtet. Für dieses Projekt
bedeutet dies eine Untersuchung der Lehrräume beziehungsweise wie Vorlesungs-
räume strukturiert und technisch-infrastrukturell ausgestattet sind. Es werden ebenfalls zeitliche Bedingungen berücksichtigt. Im Zusammenhang mit der Einbindung
in die Lehre kann dabei die Freischaltung bestimmter Lerneinheiten innerhalb der
Lernanwendung zu bestimmten Zeitabschnitten des Semesters untersucht werden.
Zum Beispiel könnte das Kapitel zum Organsystem Lunge erst nach Abschluss der
zugehörigen Vorlesungseinheit freigeschaltet werden.
     Aufbauend auf diesen einleitenden Beispielen der zu betrachtenden Bedingun-
gen, werden nachfolgend die organisatorischen, räumlichen und zeitlichen Bedingungen bezüglich der Integration der interaktiven Wirbelsäule in die Lehre im Detail
untersucht.

2.6.1   Organisatorische Bedingungen

Das Ziel einer organisatorischen Kontextanalyse ist der Erhalt eines besseren Verständnisses bezüglich der Tätigkeiten und Prozesse potenzieller Nutzender, sowie
deren Rolle innerhalb der Organisation, in der die Anwendung eingesetzt wird.
Die zu betrachtende Organisationseinheit ist die Bildungseinrichtung *UzL*. Im Spe-
ziellen wird dabei der Lehrstuhl des Instituts für Allgemeinmedizin und der dort
stattfindenden Lehre für Studierende der Allgemeinmedizin betrachtet. Das vor-
herrschende, organisatorische Umfeld wird auf Grundlage eines Interviews (siehe
Abschnitt 2.2.2) mit einer dort dozierenden Ärztin und der Beobachtung einer Lehrveranstaltung (siehe Abschnitt 2.2.1), bei der eine Integration der interaktiven Wirbelsäule vorgesehen ist, abgeleitet.

Die Bereitstellung von Lehrmaterialien und die Verwaltung von Lehrveranstaltungen wird über die *E-Learning*-Plattform *Moodle* umgesetzt. Teilnehmende Studierende sind daher systematisch erfasst und können mithilfe dieser Plattform zielgerichtet kontaktiert werden oder Lehrmaterialien an sie ausgeliefert werden. Diese Form der Verwaltung führt zu einem ersten Anhaltspunkt, wie die Lernanwendung in die Lehre integriert werden kann. Eine Möglichkeit wäre die direkte Integration der Lernanwendung in die Lernplattform *Moodle* selbst oder eine Bereitstellung der Lernanwendung über diese via Download. Die technische Umsetzbarkeit dieser Variante wird innerhalb einer technischen Analyse näher betrachtet (siehe Abschnitt 3.1.3) und in der Konzeption geplant (siehe Abschnitt 4.1).

Im aktuellen Zustand des organisatorischen Umfelds werden erreichte Lernziele oder erfüllte Prüfungsleistungen nicht über *Moodle* oder ein vergleichbares System erfasst. Studierende erhalten dadurch nur bedingt Einsicht über noch bevorstehende Lernthemen, indem sie zukünftige Vorlesungsskripte inspizieren und deren Inhalte einsehen. Wissensabfragen, beispielsweise in Form eines Quiz zur Reflektion der Lehrinhalte, werden bisher nicht über die Plattform oder auf anderem Wege bereitgestellt. Dadurch sind Studierende beim Erkennen, ob erforderliche Lernziele erreicht oder der eigene Lernfokus sinnvoll gesetzt wurde, auf sich allein gestellt. Hierbei ergibt sich ein weiterer Ansatzpunkt für die zu entwickelnde Bildungstechnologie zur Unterstützung der Studierenden.

Im Rahmen der Analyse hat sich ergeben, dass Studierende ein motivierendes Lernerlebnis erfahren, sofern die Lernziele in logische und übersichtliche Lerneinheiten strukturiert werden (siehe Abschnitt 2.3). Die Definition derartiger Lerneinheiten ließe sich mithilfe von kursbezogenen Fragestellungen umsetzen. Gleichzeitig könnten diese Fragestellungen durch Dozierende über *Moodle* erstellt und anschließend in die Lernanwendung integriert werden. Dieses Verfahren hätte außerdem zur Folge haben, dass Studierende ihre erreichten Lernziele nachvollziehen können, indem sie innerhalb der Lernanwendung oder in *Moodle* eine Übersicht über abgeschlossene Lerneinheiten erhalten. Diese Möglichkeit und dessen Steigerung der Lehrqualität durch Strukturierung der Inhalte wird in der Konzeption berücksichtigt (siehe Abschnitt 4.3).

Zur Veranschaulichung der relevanten anatomischen Strukturen eines behandelten Themenkomplexes wird im aktuellen Format der Lehre ein physisches Wirbelsäulenmodell verwendet. Dieses Modell ist dabei im Besitz des Lehrstuhls, wird von Dozierenden zur Vorlesung mitgebracht und anschließend wieder in den Büroräumen des Instituts eingelagert. Die Nutzung oder das Ausleihen des Modells für eine Vorlesung ist dabei nicht explizit nachverfolgbar. Aufgrund der überschaubaren Anzahl von Lehrveranstaltungen, in denen das Modell eingesetzt wird, und einer ebenso überschaubaren Anzahl von Dozierenden, die das Modell zur Demonstration nutzen, wird die Aufwand-Nutzen-Relation für einen detaillierteren Verwaltungsprozess als nicht förderlich eingestuft.

Dozierende bewegen sich bei der Demonstration des physischen Wirbelsäulenmodells frei im Raum und benötigen zwei Hände zum Zeigen der relevanten anatomischen Strukturen beziehungsweise auch zum Halten des Modells selbst. Die Interaktionsstile beschränken sich daher auf das Zeigen und das Drehen des Wirbelsäulenmodells. Dies wird bei der Konzeption der Benutzungsschnittstelle dahingehend relevant, dass die Interaktion mit einem interaktiven Wirbelsäulenmodell nicht verkompliziert wird und die Mobilität des Modells gewahrt wird, um keine Einschränkungen für Dozierende hervorzurufen (siehe Abschnitt 4.4).

2.6.2 Räumliche Bedingungen

Neben den organisatorischen Rahmenbedingungen eines zu entwickelnden Systems, ist es ebenfalls von Bedeutung den physisch-räumlichen Kontext zu untersuchen. Eine Analyse der räumlichen Bedingungen gibt Aufschluss darüber, welche Besonderheiten und Eigenschaften des Raumes existieren und inwiefern diese einen Einfluss auf die Nutzung des interaktiven Systems haben [71].

Bezogen auf die Nutzung der interaktiven Wirbelsäule in den Lehrräumen der *UzL* werden dabei die physische Größe und die technisch-infrastrukturelle Ausstattung der Räume berücksichtigt. Im Rahmen der durchgeführten Beobachtung (siehe Abschnitt 2.2.1) konnten die Lehrräume inspiziert werden, in denen die Lehrveranstaltungen für Studierende der Allgemeinmedizin abgehalten werden.

Die Räume fassen dabei unterschiedliche Mengen von Lernenden. Aufgrund dieser Größenunterschiede ergibt sich ein Nachteil bei der Veranschaulichung der anatomischen Strukturen anhand des physischen Modells in größeren Hörsälen. Studierende befinden sich je nach Platzierung in variablen Distanzen zum physischen Modell. Daraus ergibt sich naturgemäß eine undeutlichere Sicht auf das Modell, je größer die Distanz des Studierenden zum Modell ist. Dies ist einer der Gründe, weshalb im Rahmen des Interviews mit einer dozierenden Ärztin (siehe Abschnitt 2.2.2) der Bedarf aufkam, eine virtuelle Spiegelung beziehungsweise Repräsentation des physischen Modells darzustellen und jegliche Interaktion daran im virtuellen Pendant nachvollziehbar zu visualisieren. Um eine solche virtuelle Abbildung darstellen zu können, werden daher Anzeigemöglichkeiten in Form von Displays oder Projektionstechnik im Raum benötigt. Dadurch wird ebenfalls eine Untersuchung der technischen Infrastruktur der Räume notwendig.

Der Großteil der Lehrräume der *UzL* sind mit Beamertechnik ausgestattet, wodurch die Möglichkeit zur Darstellung des virtuellen Abbilds in den meisten Lehrräumen gegeben ist. Dies Bedarf jedoch der Verbindung mit einem Computersystem, auf dem die Lernanwendung zur Darstellung des virtuellen Abbilds gestartet werden kann. Daraus ergibt sich die Bedingung, dass nur Lehrräume mit einem Beamer (oder einer anderen Anzeigemöglichkeit) und einem damit verbundenem Computersystem in Frage kommen. Außerdem ist eine Kommunikationsverbindung zwischen der Lernanwendung und der interaktiven Wirbelsäule notwendig, um Interaktionen des Dozierenden mit der interaktiven Wirbelsäule in der Lernanwendung entsprechend umzusetzen.

Des Weiteren konnte im Rahmen der vertieften Aufgabenanalyse festgestellt werden, dass die interaktive Wirbelsäule der Mobilität der bisher eingesetzten Wirbelsäule gleichkommen soll (siehe Tabelle 2.2). Bei der zu entwickelnden interaktiven Wirbelsäule handelt es sich daher um ein mobiles System, welches nicht an einen dedizierten Ort gebunden ist. Daraus ergibt sich die Notwendigkeit einer batteriebetriebenen Energieversorgung, was eine Untersuchung der Möglichkeiten zur kabelgebundenen Stromversorgung in den Räumen überflüssig macht. Für die Kommunikation zwischen der interaktiven Wirbelsäule und der Lernanwendung bedeutet dies ebenfalls, dass die Notwendigkeit einer drahtlosen Kommunikation besteht, um die Mobilität zu erhalten. Hierbei gilt es in der Konzeption zu untersuchen, ob sich dazu das campusweite drahtlose WiFi-Netzwerk oder eine alternative Kommunikationstechnologie zwischen den beiden Komponenten eignet.

2.6.3 Zeitliche Bedingungen

Die Analyse zeitlicher Bedingungen ergibt eine Übersicht über zeitlich verknüpfte oder voneinander abhängige Prozesse. Im Bezug auf die Gestaltung der Lehre werden daher zeitliche Restriktionen zur Freischaltung bestimmter Lernkapitel oder Lehrmaterialien über das *LMS Moodle* berücksichtigt.

Im aktuellen Zustand der Lehre kann die Verteilung von Lehrmaterialien über *Moodle* zeitlich eingeschränkt werden. Dies dient dazu, nur Vorlesungsskripte zu bereits stattgefundenen Vorlesungen eines Semesters freizuschalten. Hierbei bleibt die Frage offen, ob derartige Restriktionen auch im Bezug auf die Freischaltung von Lernkapiteln innerhalb der zu entwickelnden Lernanwendung sinnvoll sind und mithilfe einer Lernplattform wie *Moodle* gesteuert werden sollten. Eine zeitlich gesteuerte Freischaltung von Lernkapiteln wird daher in der Konzeption des Prototyps zunächst nicht berücksichtigt werden, sollte jedoch im Falle einer Weiterentwicklung in den Fokus gestellt werden.

Mit der Einführung der interaktiven Wirbelsäule in die Lehre ergeben sich zudem zeitliche Bedingungen bezüglich des gleichzeitigen Einsatzes der interaktiven Wirbelsäule in unterschiedlichen Lehrveranstaltungen. Diesem Problem könnte durch die Bereitstellung mehrerer Modelle oder der zeitlichen Umstrukturierung der Termine zu den betroffenen Lehrveranstaltungen behoben werden. Dieser Umstand betrifft jedoch die zeitliche Planung von Lehrveranstaltungen und der Klärung der Frage, ob ein Einsatz mehrerer interaktiver Wirbelsäulenmodelle sinnvoll ist. Diese Themen sind jedoch erst nach der Entwicklung des Prototyps zur interaktiven Wirbelsäule und einer anschließenden Evaluation bezüglich dessen Verbesserung der Lehrqualität relevant und liegen daher außerhalb des Fokus dieser Arbeit (Tabelle 2.6).

Tabelle 2.6 Anforderungen nach Analyse des Systemumfelds und organisatorischer Strukturen des Einsatzgebiets

👤	**Resultierende benutzerbezogene Anforderungen**
•	Das Konzept zur Entwicklung eines interaktiven Systems soll auf die **Erweiterung um zusätzliche anatomische Systeme** abgestimmt sein. Zusätzlich soll die Lernanwendung so gestaltet sein, dass sie um weitere Themenbereiche (zum Beispiel Lunge, Herz, und viele weitere) in Form von weiteren Lernkapiteln erweitert werden kann.
•	Es soll eine **Integration** der Lernanwendung **in die existierende Lehrinfrastruktur** möglich werden. Daher wird eine Bereitstellung der Lernanwendung über die bereits eingesetzte Lernplattform *Moodle* angestrebt.
•	Studierende haben bisher keine Möglichkeit zur reflektierenden Wissensüberprüfung theoretischer Inhalte im Rahmen des Untersuchungskurses für Allgemeinmedizin. Daher soll eine Lernanwendung als **Lernunterstützung zur Reflektion von Lehrinhalten** bereitgestellt werden.
•	Die Lernanwendung soll Studierenden die in einer Lehrveranstaltung angestrebten **Lernziele verdeutlichen,** damit sie ihren Lernfokus sinnvoll festlegen können. Gleichzeitig soll sie eine **Übersicht über bereits erreichte Lernziele und Lernerfolge** liefern.
•	Das interaktive Lehrmedium benötigt eine **Verbindung zu einem Computersystem in Lehrräumen,** um die virtuelle Repräsentation über einen Projektor oder Monitor darstellen zu können. Dabei soll die **Mobilität des Modells** jedoch nicht beeinträchtigt werden.

2.7 Zusammenfassung: Resultierende benutzerbezogene Anforderungen

Aus den vorangegangenen Analysephasen lassen sich jeweils Anforderungen an die zu entwickelnde interaktive Wirbelsäule und der zugehörigen Lernanwendung ableiten. Innerhalb jeder Analysephase wurde das zu entwickelnde System aus einer anderen Perspektive betrachtet, wodurch möglichst viele Benutzeranforderungen gesammelt wurden, welche in der Konzeption (siehe Kapitel 4) berücksichtigt werden sollen.

Um die Anzahl der resultierenden Anforderungen aus den einzelnen Phasen der Analyse überblicken zu können, werden diese nun in übergeordneten Zielen subsumiert. Diese repräsentieren damit die gesammelten Benutzeranforderungen und kategorisieren gleichartige Anforderungen beziehungsweise synergetische Einzelziele zu einem konkreten Projektziel und sind in Tabelle 2.7 zusammengefasst dargestellt.

Tabelle 2.7 Zusammenfassung der aus den vorangegangenen Analysen resultierenden Anforderungen an das zu entwickelnde interaktive System

1. Ziel: Restrukturierung der Lehre
1.1 Entwicklung eines interaktiven Lehrmediums
• Entwicklung eines tangiblen Wirbelsäulenmodells zwecks anschaulicher und interaktiver Wissensvermittlung (siehe Tabelle 2.1)
• Unterstützte Interaktionen am Modell umfassen die Selektion von anatomischen Strukturen und die Veränderung der Betrachtungsperspektive durch Drehbewegungen (siehe Tabelle 2.2).
• Umwandlung von Frontalunterricht mit Dozierenden als alleinigen Wissensvermittlern zu einer interaktiven und kollaborativen Form des Lernens (siehe Tabelle 2.1)
1.2 Einsatz multimedialer Inhalte
• Reduzierung des Einsatzes abstrakter Informationsvermittlung wie beispielsweise durch Texte und statische Bilder (siehe Tabelle 2.1)
• Förderung des Multimedialen Lernens durch die Kombination unterschiedlicher Medientypen zur Verstärkung des Wissenstransfers (siehe Tabelle 2.1)
• Anreicherung eines virtuellen 3D-Modells zur Anatomie der Wirbelsäule mit Zusatzinformationen (Bezeichnung, Funktionalität) (siehe Tabelle 2.2)
• Ermöglichung einer interaktiven Exploration des Lernobjekts (siehe Tabelle 2.1)

(Fortsetzung)

Tabelle 2.7 (Fortsetzung)

1.3 Veranschaulichung der Lehrinhalte durch modellgestützte Demonstration

• Die Demonstration zur Verortung anatomischer Strukturen und der therapeutischen
  Behandlung soll durch eine interaktive Wirbelsäule erweitert werden (siehe
  Tabelle 2.2).

• Durch ein virtuelles Abbild der physischen Wirbelsäule soll die Nachvollziehbarkeit
  während der Demonstration verstärkt werden (siehe Tabelle 2.2).

• Relevante Strukturen während der Demonstration werden visuell hervorgehoben, um
  wesentliche Informationen auf einen Blick aufzeigen zu können (siehe Tabelle 2.2).

• Das virtuelle Abbild soll zusätzlich Muskelstrukturen und Teile des Nervensystems
  beinhalten, um die bei der Demonstration behandelten Strukturen in einen räumlichen
  Kontext zu bringen (siehe Tabelle 2.2).

• Verdeutlichung der Zusammenhänge von verschiedenen Strukturen und deren
  Zusammenwirken (siehe Tabelle 2.2)

1.4 Unterstützung verschiedener Lerntypen

• Ein physisch greifbares Lernmedium soll das Lernen kinästhetischer Lerntypen durch
  eine interaktive Erkundung des Lernobjekts unterstützen (siehe Tabelle 2.1).

• Die visuelle Aufbereitung der Lehrinhalte durch die digitale Simulation der
  Wirbelsäule soll zudem das Lernen des visuellen Lerntypen unterstützen (siehe
  Tabelle 2.1).

2. Ziel: Unterstützung der Lernaktivität

2.1 Strukturierung von Lehrinhalten

• Die hohe Anzahl zu erlernender Fakten soll in logische und übersichtliche
  Lerneinheiten strukturiert werden (siehe Tabelle 2.1).

• Studierende sollen die Lernanwendung zur reflektierenden Wissensüberprüfung
  theoretischer Inhalte in Form eines Quiz nutzen können (siehe Tabelle 2.3).

• Studierende sollen durch die Bereitstellung von Lernkapiteln in der Lernanwendung
  Anhaltspunkte bezüglich erforderlicher Lernziele erhalten (siehe Tabelle 2.6).

• Durch Nutzung der Lernanwendung sollen Studierende eine Übersicht über bereits
  erreichte Lernziele und Lernerfolge erhalten (siehe Tabelle 2.6).

• Bei der Strukturierung der Lerninhalte beziehungsweise der Wissensabfrage soll
  zunächst Basiswissen vermittelt werden und später darauf aufbauende, komplexere
  Themen behandelt werden (siehe Tabelle 2.3).

2.2 Kumulatives Lernen

• Die Lernanwendung soll dabei unterstützen, einzelne Wissensbausteine
  zusammenzufügen und zu einem Gesamtbild zu verknüpfen indem das
  Zusammenwirken anatomischer Strukturen veranschaulicht wird (siehe Tabelle 2.3).

(Fortsetzung)

Tabelle 2.7 (Fortsetzung)

2.3 Erhöhung des Lernengagements durch Gamification

• Durch die Gamifizierung der Lernanwendung soll Studierenden die Möglichkeit einer unterhaltenden Lernaktivität geboten werden (siehe Tabelle 2.5).

• Durch den Einsatz geeigneter Spielmechaniken soll bei Studierenden eine Erhöhung der Lernmotivation erzielt werden (siehe Tabelle 2.5).

• Die eingesetzten Spielmechaniken sollen auf häufig auftretende Spielertypen im Bereich der medizinischen Ausbildung angepasst sein (siehe Tabelle 2.5).

2.4 Förderung des Continuous Learning

• Die eingesetzten Spielmechaniken sollen Studierende zu einer regelmäßigen beziehungsweise routinierten Lernaktivität führen (siehe Tabelle 2.5).

3. Ziel: Erweiterbarkeit der Lernanwendung

3.1 Erweiterbarkeit der Themenbereiche

• Die entwickelte Bildungstechnologie soll durch weitere anatomische Systeme erweiterbar sein, um sie in weiteren Lehrveranstaltungen der medizinischen Lehre nutzen zu können.

• Die Lernanwendung soll um weitere Lernkapitel zu anderen anatomischen Systemen erweitert werden können (siehe Tabelle 2.6).

3.2 Dedizierte Nutzungsmodi

• Für Dozierende soll ein dedizierter Modus für die Demonstration in der Lehrveranstaltung zur Verfügung stehen (siehe Tabelle 2.3).

• Innerhalb des Demonstrationsmodus soll ein Wechsel zwischen zwei Benutzungsmodi, einerseits zur Veranschaulichung einzelner Strukturen und andererseits therapeutischer Behandlungsmethoden, möglich sein (siehe Tabelle 2.2).

• Studierende sollen über einen dedizierten Modus die Lernanwendung für die individuelle Lernaktivität nutzen können (siehe Tabelle 2.3).

3.3 Integration in existierende Lehrinfrastruktur

• Die Bereitstellung der Lernanwendung soll über die bereits verwendete Lernplattform möglich sein (siehe Tabelle 2.6).

3.4 Aktualisierung der Lehrmaterialien

• Fragestellungen innerhalb der Lernanwendung sollen kursbezogen und aktuell sein (siehe Tabelle 2.3).

• Dozierende benötigen die Möglichkeit zur Anpassung des verwendeten Fragenkatalogs (siehe Tabelle 2.6).

Die in Tabelle 2.7 aufgelisteten Anforderungen gilt es im Rahmen der Konzeption zu berücksichtigen, um die interaktive Anwendung an die Bedarfe der Nutzenden anzupassen. Ein weiterer wichtiger Aspekt vor der Konzeption ist die Untersuchung der technischen Anforderungen an das System, welche im nachfolgenden Kapitel durchgeführt wird.

Technische Analyse

3

Mithilfe einer technischen Analyse sollen die technischen Anforderungen an das zu entwickelnde System untersucht werden. Dazu werden in einem ersten Schritt die beteiligten Systemkomponenten der zu entwickelnden Bildungstechnologie erfasst. Nachfolgend werden die jeweiligen Funktionen dieser Komponenten betrachtet, um herauszufinden, welche technischen Anforderungen sich durch diese jeweils ergeben.

Weiterhin wird die Interkommunikation der einzelnen Komponenten betrachtet, das heißt welche Komponenten untereinander Nachrichten austauschen müssen und welche Anforderungen dabei an die Datenübertragungsrate gestellt werden. Nachdem weitere Anforderungen an die Mobilität der Bildungstechnologie erfasst wurden, werden abschließend nutzbare Übertragungstechnologien gesammelt und miteinander verglichen.

3.1 Beteiligte Komponenten

Im Folgenden wird eine Übersicht über beteiligte Komponenten der zu entwickeln-den Bildungstechnologie gegeben. Dabei wird für jede Komponente analysiert, welche Aufgaben diese innerhalb der Gesamtanwendung übernimmt und welche Ressourcen dazu notwendig werden. Aus der vorherigen Anforderungsanalyse resultieren insgesamt drei Hauptkomponenten:

1. Eine **tangible und interaktive Wirbelsäule** in Form eines *TUI* als Demonstrationswerkzeug für Dozierende
2. Eine **Bildungssoftware** zur Darstellung der **virtuellen Repräsentation** der Wirbelsäule und gleichzeitig als **gamifizierte Lernanwendung**

P. Goldbach, *Entwicklung einer interaktiven Wirbelsäule inklusive gamifizierter Lernanwendung*, BestMasters, https://doi.org/10.1007/978-3-658-42745-0_3

3. Eine **Lernplattform als möglicher Speicherort** für Quizfragen und Lernfortschritte von Studierenden

Die beteiligten Komponenten werden nachfolgend auf ihre individuellen Aufgaben untersucht, um zu ermitteln, welche Ressourcen für deren Umsetzung notwendig sind. Des Weiteren wird untersucht, welche Anforderungen an die Kommunikation der einzelnen Komponenten untereinander gestellt werden und welche Informationen dabei ausgetauscht werden müssen.

3.1.1 Interaktive Wirbelsäule

Die interaktive Wirbelsäule soll als *TUI* (siehe Abschnitt 1.3.3) realisiert werden und dient als physische Benutzerschnittstelle beziehungsweise als Eingabegerät für die Lernanwendung, welche die Darstellung der virtuellen Repräsentation der Wirbelsäule übernimmt. Das hat zur Folge, dass getätigte Interaktionen an die Lernanwendung weitergegeben werden. Im Rahmen einer Internetrecherche konnte jedoch kein physisches Wirbelsäulenmodell gefunden werden, welches bereits über eine integrierte tangible Benutzerschnittstelle in Form von interaktiven anatomischen Objekten verfügt. Daher wird die Anreicherung eines konventionellen physischen Wirbelsäulenmodells durch technische Komponenten zur Ermöglichung einer solchen Interaktionsfähigkeit angestrebt.

Sensordaten: Selektion
Die Grundlage für die interaktive Wirbelsäule kann daher ein konventionelles physisches Wirbelsäulenmodell sein, welches durch eine Benutzerschnittstelle erweitert wird. Der Hersteller *Bare Conductive* bietet dazu ein Produkt namens «Electric Paint» an, eine Farbe, die mit leitfähigen Partikeln angereichert ist [153]. Durch die Auftragung der Farbe auf bestimmte Oberflächen, wie beispielsweise Plastik oder Gummi, können elektronische Verbindungen beziehungsweise leitfähige Flächen geschaffen werden [153]. Durch die Kombination der leitfähigen Farbe mit dem ebenfalls von *Bare Conductive* angebotenen Touch Board [154] oder *Pi Cap* [155], können diese leitfähigen Farbschichten zu interaktiven Oberflächen umgestaltet werden. Diese fungieren dann als kapazitive Berührungssensoren, welche die Fingerpositionen auf Basis der Veränderung der elektrischen Kapazität detektieren. [156]. Durch die Auftragung der Farbe auf einzelne anatomische Objekte des physischen Wirbelsäulenmodells und der Verbindung mit einem auslesenden Touch Board oder *Pi Cap* kann ein interaktives Modell geschaffen werden.

Dabei ist jedoch zu berücksichtigen, dass sowohl das Touch Board als auch das *Pi Cap* lediglich zwölf leitfähige Verbindungen unterstützt [153]. Allerdings besteht das Wirbelsäulenmodell aus mehreren individuellen anatomischen Objekten. Die menschliche Wirbelsäule besteht aus insgesamt 33 Wirbeln. Hinzu kommen weitere Strukturen wie Bandscheiben zwischen den Wirbeln und gegebenenfalls weitere Strukturen des zentralen Nervensystems. Eine Möglichkeit der Abhilfe wäre hierbei die Anbringung mehrerer *Touch Boards / Pi Caps* oder die Verbindung mehrerer Komponenten an einen Verbindungspunkt des *Touch Boards / Pi Caps*. Dazu wurde der Kundensupport von *Bare Conductive* kontaktiert und die Nachfrage gestellt, ob mehrere verbundene intelligente Flächen an einem Verbindungspunkt aufgrund einer unterschiedlichen elektrischen Kapazität unterschieden werden können. Der Kundensupport verwies dabei auf eine Beschränkung der eingesetzten Software. Die Erkennung bezüglich der Veränderung der elektrischen Kapazität sei dabei binär und könne nicht granular detektiert werden. Bei Einsatz der leitfähigen Farbe von *Bare Conductive* bleibt dabei lediglich die Option der Mehrfach-Anbringung auslesender *Touch Boards / Pi Caps*.

Sensordaten: Rotation

Eine weitere Aufgabe der interaktiven Wirbelsäule ist die Erkennung der eigenen Raumlage. Mithilfe der Kombination eines Gyroskops und Beschleunigungssensors in Form einer inertialen Messeinheit [157] lässt sich eine zuverlässige Bestimmung der Rotation um die Roll- und Nickachse umsetzen [109]. Um außerdem eine zuverlässige Erkennung um die Gierachse zu berechnen, kann zusätzlich ein Magnetometer hinzugezogen werden [110]. Durch die Fusion der Sensormesswerte, beispielsweise durch das Verfahren des Kalman-Filters oder Komplementärfilters [110], kann dann eine Berechnung der Rotation um die Gierachse vorgenommen werden. Zur Berechnung der Roll-, Nick- und Gierachse wird daher ein Beschleunigungssensor, ein Gyroskop und ein Magnetometer benötigt.

Einplatinen Computer und Kommunikationsschnittstellen

Sowohl die notwendige Sensorik zur Bestimmung der Raumlage [158] als auch ein programmierbares Modul von *Bare Conductive* zur Detektion selektierter anatomischer Objekte ist dabei kombinierbar mit dem Einplatinen-Computer *Raspberry Pi (RPI)* [155] oder diverser Mikrocontroller des Herstellers *Arduino* [154]. Die Einplatinen-Computer der *RPI* Serie verfügen außerdem über unterschiedliche Kommunikationsschnittstellen zur drahtlosen Kommunikation als praktische Ergänzung [159]. Die Mikrocontroller von *Arduino* sind ebenfalls durch ein *WiFi* oder *Bluetooth*-Modul erweiterbar, um eine drahtlose Kommunikation zu ermöglichen

[160][161]. Diese drahtlose Kommunikationsschnittstelle wird notwendig, damit relevante Daten von der interaktiven Wirbelsäule an die Lernanwendung übertragen werden können ohne dabei einen Verlust der Mobilität einzubüßen.

3.1.2   Bildungssoftware

Die Bildungssoftware dient einerseits zur Darstellung der virtuellen Repräsentation der Wirbelsäule. Jegliche unterstützte Interaktion der dozierenden Person an der interaktiven Wirbelsäule soll analog am 3D-Modell in der Lernanwendung sichtbar werden. Für eine derartige Modifikation des virtuellen Abbilds analog zur Benutzerinteraktion am physischen, interaktiven Wirbelsäulenmodell wird eine Datenübertragung zwischen diesen beiden Komponenten benötigt. Dabei umfassen die übertragenen Parameter die Rotationsdaten zur Raumlage und Daten bezüglich selektierter anatomischer Strukturen von der interaktiven Wirbelsäule an die Lernanwendung. Eine Datenübertragung ausgehend von der Lernanwendung an die interaktive Wirbelsäule ist bei diesem Setup nicht erforderlich, woraus eine unidirektionale Kommunikation zwischen den beiden Komponenten resultiert (siehe Abschnitt 3.2).

Spiel-Engine

Desweiteren dient die Bildungssoftware als gamifizierte Lernanwendung zur Unterstützung der Studierenden bei ihrer Lernaktivität. Mithilfe von Wissensabfragen in Form von Quizzes können Studierende ihr Verständnis bezüglich der Lerninhalte überprüfen. Mit dem Ziel der Steigerung der Lernmotivation wird die Lernanwendung durch *Gaming-Elemente* erweitert. Zur Entwicklung eines solchen Lernspiels bieten sich dabei, je nach zu unterstützender Plattform, verschiedene Spiel-Engines an, welche im Abschnitt 3.7 untersucht werden.

Verwaltung des Fragenkatalogs

Um die Wissensabfrage mit kursbezogenen Fragestellungen zu füllen, wird die Integration eines Fragenkatalogs notwendig. Die Erstellung der Fragen soll dabei durch Dozierende gestützt werden, um sie mit den behandelten Themen der Lehrveranstaltungen abzustimmen. Dabei bietet sich die Integration der Fragen über eine zentralisierte und durch Dozierende zugreifbare Lernplattform an. Dadurch wird die Erstellung der Fragen von der Lernanwendung entkoppelt. Die Verwaltung und Aktualisierung der Fragestellungen kann dabei innerhalb der Lernplattform stattfinden. Somit wird eine Schnittstelle zur Übertragung der Fragestellungen an die Lernanwendung notwendig. Möglichkeiten zur Datenübertragung zwischen der an der *UzL* eingesetzen Lernplattform *Moodle* und der zu entwickelnden Lernanwendung bieten diverse zugehörige Programmierschnittstellen von *Moodle* [162]. Dabei gilt es in der Konzeption die Möglichkeiten und Entwicklungsaufwände bei der Verwendung der *Moodle* APIs zu untersuchen (siehe Abschnitt 4.1).

Spielerstatistik und Lernfortschritte
Desweiteren wird durch den Einsatz von Gaming-Elementes, wie der Sammlung von Punkten oder Erfolgen, eine Speicherung der Spielerstatistik und Lernfortschritte notwendig. Andernfalls gingen erreichte Ziele bei einem Neustart der Lernanwendung verloren, wodurch deren Erreichung an Bedeutung verliert. Statt einer Steigerung der Lernmotivation kann daraus Frustration bei den Lernenden resultieren. Speichermöglichkeiten sind die Verwendung der *Moodle-API* oder eine lokale Sicherung. Die jeweiligen Vor- und Nachteile dieser Strategien werden im Rahmen der Konzeption untersucht (siehe Abschnitt 4.1).

3.1.3 Lernplattform (Moodle)

In der Gestaltung der Lehre an der *UzL* hat sich die Lernplattform *Moodle* zur Kursverwaltung und Bereitstellung von Lehrinhalten etabliert. Sie ist damit ein fester Bestandteil der verwalteten und regelmäßig gewarteten IT-Ressourcen an der *UzL*. Es bietet sich daher an, die Lernplattform zur Datenhaltung der verwendeten Fragenkataloge für die Lernanwendung sowie zur Speicherung von Spielerstatistiken und Lernfortschritten der Studierenden zu nutzen.

Innerhalb der Lernplattform existiert bereits eine gepflegte Benutzerverwaltung der Studierenden der *UzL*. *Moodle* bietet mit der *Access API* [162] eine Möglichkeit zur benutzerspezifischen Zugriffsabfrage auf bestimmte Ressourcen. Darüber kann untersucht werden, ob Benutzer:innen bestimmte Funktionen nutzen dürfen oder nicht. Mithilfe der *Access API* ist dabei eine Authentifizierung der Studierenden innerhalb der Lernanwendung denkbar. Ergänzend dazu können benutzerspezifische Daten wie persönliche Lernerfolge und Spielerstatistiken in *Moodle* mithilfe der bereitgestellten APIs gesichert werden. Innerhalb der Konzeption muss dazu untersucht werden, mit welchem Entwicklungs- und Verwaltungsaufwand eine Integration der *Moodle* Lernplattform der *UzL* in die Systemarchitektur der zu entwickelnden Anwendung möglich ist.

Tabelle 3.1 Technische Anforderungen nach Untersuchung der beteiligten Komponenten und deren benötigter technischer Ressourcen

⚙	**Resultierende technische Anforderungen**
•	Die Bildungstechnologie bildet eine **verteilte Anwendung** bestehend aus **drei Komponenten**, welche Informationen über unterschiedliche Kommunikationskanäle austauschen müssen.
•	Die interaktive Wirbelsäule benötigt **Sensorik zur Erkennung von Berührungen** anatomischer Strukturen.
•	Die interaktive Wirbelsäule benötigt zur **Detektion einer Drehbewegung** um die Gierachse eine **Sensorfusion aus Beschleunigungssensor, Gyroskop und Magnetometer.**
•	Die interaktive Wirbelsäule benötigt eine verarbeitende **Computereinheit** zur **Auswertung von Sensordaten** und deren **Übermittlung.**
•	Die Bildungssoftware soll zur **Speicherung von Spielerstatistiken und Lernfortschritten** über eine **Kommunikationsschnittstelle zur Lernplattform** *Moodle* verfügen.

3.2   Kommunikationstechnologie

Im Rahmen der Analyse bezüglich der beteiligten Komponenten der zu entwickelnden Bildungstechnologie konnten bereits mehrere Kommunikationsteilnehmer erfasst werden. Daher soll in diesem Abschnitt untersucht werden, zwischen welchen Kommunikationsteilnehmern ein Datenaustausch stattfindet und wie dieser gerichtet ist. Dabei gilt es zu berücksichtigen, welche Anforderungen an die der Datenübertragungsrate, der Fähigkeit der Mobilkommunikation und Übertragungsprotokollen bestehen. Daraufhin werden mögliche Kommunikationstechnologien mit deren Vor- und Nachteile für das Anwendungsszenario zusammengestellt und verglichen.

3.2.1   Erforderliche Datenübertragungsrate

Es ist erforderlich, dass die Lernanwendung Informationen über getätigte Interaktionen an der interaktiven Wirbelsäule erhält. Andernfalls kann sie keine analoge Modifikation der virtuellen Repräsentation vornehmen. Mögliche Interaktionen sind dabei die Rotation der Wirbelsäule selbst oder die Selektion ihrer einzelnen Bestandteile. Dabei gilt es zu untersuchen, welche Datenmengen bei der Übertragung dieser Informationen anfallen sowie die notwendige Häufigkeit mit der diese übertragen werden. Daraus ergibt sich abschließend eine Einschätzung der benötigten Daten-übertragungsrate, welche bei der Auswahl der eingesetzten Übertragungstechnologie berücksichtigt wird.

Kalkulation der Nachrichtengröße

Für die Übertragung der Information zur Rotation als Bogenwinkel können bei der Verwendung des Zahlenraums der ganzen Zahlen Werte im Bereich von 0 bis 360 anfallen, wobei die Werte 0 und 360 gleichbedeutend wären. Um gegebenenfalls bei der Angabe der Rotation eine Richtungsinformation zu liefern, wäre ein Wertebereich von −360 bis +360 denkbar. Sollte lediglich die Übertragung ganzzahliger Werte relevant sein, kann hierzu der Datentyp *Integer* verwendet werden. Je nachdem, wie viele Bits zur Speicherung eines ganzzahligen Werts mit diesem Datentyp aufgewendet werden, verändert sich der verfügbare Zahlenbereich [111]. In den Programmiersprachen Python, C# oder Java werden für den Datentyp *Integer* standardmäßig 32 Bit beziehungsweise 4 Byte zur Speicherung aufgewendet, wodurch ein Zahlenbereich von −32.768 bis +32.767 abgedeckt werden kann. Dies übertrifft den zuvor definierten notwendigen Zahlenbereich und wäre somit ausreichend. Sofern eine präzisere Angabe der Rotationsinformation mit mehr als einer Nachkommastelle im Zahlenraum der reelen Zahlen gefordert sein sollte, wird eine Speicherung mit dem Datentyp *Float* benötigt. Je nach Anzahl der darzustellenden Nachkommastellen wird eine unterschiedliche Menge an Speicher benötigt. In vielen Programmiersprachen wie C#, C++ oder Java werden zur Speicherung eines Werts des Datentyps *Float* 4 Byte benötigt und können mindestens sechs Nachkommastellen darstellen [163][164][165]. In beiden Varianten würden für die Übertragung der Rotations-Information 4 Byte *Payload* anfallen.

Des Weiteren ist zu klären, welche Datenmenge bei der Speicherung und Übertragung von Informationen bezüglich selektierter Strukturen anfallen. Insgesamt besteht das aktuell in der Lehre eingesetzte Wirbelsäulenmodell aus 33 Wirbeln und 23 Bandscheiben. Durch Hinzunahme der anliegenden 31 Nervenpaare ergeben sich insgesamt 87 einzelne Bestandteile [166]. Würde jede Struktur als selektierbares Objekt deklariert werden, könnten diese mit 7 Bit binär codiert werden, wodurch sich ein Speicherbedarf von weniger als 1 Byte bei der Übertragung einer einzelnen Struktur ergibt.

Wenn stattdessen die Bezeichnungen der anatomischen Strukturen der Wirbelsäule verwendet werden, fällt pro Buchstabe nach der ASCII-Codierung ein Speicherbedarf von 1 Byte an. Die in der Lehrveranstaltung genutzte Fachliteratur verwendet die lateinischen Bezeichnungen der Bestandteile der Wirbelsäule [112]. Die längste in der verwendeten Fachliteratur zum Thema Wirbelsäule gefundene Bezeichnung «Ligamentum longitudinale anterius» beinhaltet 33 Zeichen [112].

Dadurch würde im ungünstigsten Fall beziehungsweise bei der längsten Bezeichnung ein Speicherbedarf von 33 Byte bei der Übertragung der Information zu einer selektierten Struktur anfallen.

Overhead

Der zuvor beschriebene, geschätzte Speicherbedarf bei der Übertragung von Rotations- oder Selektions-Informationen beschreibt jedoch noch nicht die effektive Nutzdatenmenge (oder *Payload*) einer übertragenen Nachricht [167]. Es kann bei der Datenverarbeitung zusätzlicher Speicher (oder *Overhead*)[167] beispielsweise aufgrund der Strukturierung der Daten durch ein Datenaustauschformat wie *JSON*, *XML* anfallen [113][114].

Bei einer Literaturrecherche konnte keine präzise Angabe über die Verhältnismäßigkeit von *Payload* und *Overhead* verschiedener Datenaustauschformate gefunden werden. Bei der Auswahl des Kommunikationsprotokolls muss der Bedarf eines durch die Datenverarbeitung bedingten Overheads jedoch berücksichtigt werden.

Das hat in der Konzeption zur Folge, dass nach Festlegung eines Nachrichtenformats (siehe Abschnitt 4.1.2) die effektive Datenmenge einer Nachricht betrachtet werden sollte, um diese letztendlich bei der Wahl der Übertragungstechnologie berücksichtigen zu können. Aufgrund des geringen Speicherbedarfs der übertragenen Information wird dabei jedoch nicht mit einem Ausschluss einer modernen Übertragungstechnologie gerechnet.

3.2.2 Häufigkeit der Übertragung

Um die geforderte Datenübertragungsrate zu analysieren muss außerdem geprüft werden, wie häufig eine Nachricht übertragen werden muss. Aufgrund der unterschiedlichen Datenmenge bei der Übertragung von Rotations- und Selektions-Informationen werden diese separat betrachtet.

Übertragungsrate für Rotations-Daten

Tendenziell wird die Häufigkeit der Übertragung von Rotations-Informationen als höher eingeschätzt, da diese Einfluss auf eine ständige Modifikation der virtuellen Repräsentation nimmt, die in Form einer animierten Drehbewegung umgesetzt wird. Dies beruht auf der Beobachtung des Untersuchungskurses (siehe Abschnitt 2.2.1), in dem die dozierende Person das Wirbelsäulenmodell während der Demonstration in andauernder Bewegung hielt.

Damit Bewegungen beziehungsweise Animation in Videos oder Videospielen für Anwendende als flüssige Bewegung wahrgenommen wird, ist die Anzahl der gezeigten Bilder pro Sekunde (oder *Framerate*) ein maßgeblicher Faktor [168]. Die *Framerate* wird dabei in *Frames per Second (FPS)* angegeben. Im Bereich der Videospiele ist die Meinung zur optimalen *Framerate* und der damit verbundenen Spielerfahrung sehr kontrovers [115]. Dabei wird einerseits die Meinung vertreten, dass eine signifikante Verbesserung der Spielerfahrung bei mehr als 30 Frames per Second *(FPS)* auftritt [116]. Nach anderen Quellen wird weiterhin behauptet, dass noch sichtbare Verbesserungen bei über 60 *FPS* und sogar über 120 *FPS* erkennbar sind [115]. Mittlerweile hat sich in diesem Bereich jedoch eine *Framerate* von 60 *FPS* als weitverbreitetes Mittelmaß etabliert [168] und wird im Rahmen dieser Analyse als Zielgröße für die animierte Bewegung festgelegt. Um eine simultan wirkende Rotationsbewegung der physikalischen und der virtuellen Wirbelsäule zu gewährleisten, die von Anwender:innen als flüssige Animation wahrgenommen werden soll, wird daher mit einer Übertragung von 60 Nachrichten pro Sekunde kalkuliert. Mit der zuvor geschätzten Datenmenge der Rotations-Information von etwa 4 Byte wäre dabei eine Datenübertragungsrate von circa 240 Byte pro Sekunde (B/s) erforderlich.

Übertragungsrate für Selektions-Daten

Die Notwendigkeit der Übertragung von Selektions-Informationen wird seltener erwartet, da für jede Berührung das Senden nur einer einzelnen Nachricht erwartet wird. Bei der Anzahl der zu übertragenen Informationen bezüglich der Selektion pro Zeiteinheit wird eine hohe Varianz erwartet. Wie in der Beobachtung näher beschrieben (siehe Abschnitt 2.2.1) wurde die physikalische Wirbelsäule zur Demonstration der Verortung einzelner anatomischer Strukturen genutzt. In einem solchen Fall wurde somit lediglich eine einzelne Struktur in einem geschätzten Zeitraum von mehreren Sekunden berührt. Die physikalische Wirbelsäule wurde in anderen Situationen dazu genutzt, um eine therapeutische Behandlung vorzuführen. In der beobachteten Lehrveranstaltung konnte dabei die gleichzeitige Berührung von bis zu sechs anatomischen Strukturen beobachtet werden. Die Anzahl der pro Sekunde gleichzeitig berührten selektierbaren Teile der Wirbelsäule kann aufgrund dieser vagen Einschätzung nicht genau bestimmt werden.

Daher wird bei der Analyse der erforderlichen Datenübertragungsrate mit der gleichzeitigen Berührung aller selektierbaren Teile kalkuliert. Sollten also alle angestrebten 87 Teile bei Verwendung der speicherintensivsten Codierung der Strukturen von 33 Byte pro übertragener Bezeichnung in der exakt gleichen Sekunde berührt werden, wäre dabei eine Datenübertragungsrate von 2,8 Kilobyte pro Sekunde (kB/s) erforderlich ($87 * 33\,Byte / 1\,Sekunde$).

Tabelle 3.2 Anforderungen an die Datenübertragungsrate

⚙	**Resultierende technische Anforderungen**
•	Die Übertragung von Informationen zur **Rotation** benötigt in etwa eine **Datenübertragungsrate von 240 B/s**
•	Die Übertragung von Informationen zur **Selektion** benötigt in etwa eine **Datenübertragungsrate von 22,4 kB/s**

3.3   Übertragungsrichtung

In diesem Abschnitt wird analysiert, in welche Richtungen Daten zwischen den beteiligten Komponenten übertragen werden müssen. Aus der vorherigen Analyse beteiligter Komponenten ergeben sich insgesamt zwei Kommunikationsschnittstellen:

1. Schnittstelle: Austausch von Interaktionsinformationen beziehungsweise Sensordaten zwischen interaktiver Wirbelsäule und Lernanwendung (siehe Abbildung 3.1)
2. Schnittstelle: Austausch von Spielerstatistiken, Lernfortschritten und Fragenkatalog zwischen Lernanwendung und Lernplattform *Moodle* (siehe Abbildung 3.1)

Abbildung 3.1 Kommunikationsteilnehmer und deren Verbindungsrichtungen

Bei der 1. Schnittstelle kommuniziert die interaktive Wirbelsäule getätigte Benutzerinteraktionen an die Lernanwendung, damit eine entsprechende Modifikation des virtuellen Abbilds durchgeführt werden kann. Eine Vermittlung von Informationen oder Systemzuständen über einen Rückkanal wird nicht erwartet. Daher ist im aktuell geplanten Systemaufbau lediglich eine unidirektionale

Kommunikationsverbindung erforderlich. Weiterentwicklungen, die eine bidirektionale Kommunikationsverbindung erfordern könnten, werden im Ausblick in Kapitel 8 diskutiert.

Bei der 2. Schnittstelle soll die Lernanwendung Quizfragen aus einem in *Moodle* platzierten Fragenkatalog beziehen, um diese in den Quizmodus zu integrieren. Die Resultate durchgeführter Quizzes und der sich dadurch verändernden Spielerstatistik und die erreichten Lernerfolge sollen wiederum von der Lernanwendung an die Lernplattform übertragen werden, um sie dort zu speichern. Daraus ergibt sich die Notwendigkeit einer bidirektionalen Kommunikationsverbindung zwischen der Lernanwendung und der Lernplattform.

Tabelle 3.3 Anforderungen bezüglich der Übertragungsrichtungen

⚙	**Resultierende technische Anforderungen**
•	Es wird eine **Unidirektionale Verbindung** zwischen interaktiver Wirbelsäule und der Lernanwendung benötigt.
•	Es wird eine **Bidirektionale Verbindung** zwischen Lernanwendung und der Lernplattform benötigt.

3.4 Mobilität und Reichweite

Neben der erforderlichen Datenübertragungsrate und der Übertragungsrichtung gilt es zu klären, zwischen welchen der beteiligten Komponenten eine drahtlose Kommunikation erforderlich ist.

Wie in Abbildung 3.1 dargestellt, findet eine unidirektionale Übertragung zwischen der interaktiven Wirbelsäule und der Lernanwendung statt. In der Beobachtung des Untersuchungskurses hat sich gezeigt, dass das aktuell verwendete physische Wirbelsäulenmodell von Dozierenden während der Demonstration im Raum frei bewegt wird. Der Standort, von dem aus eine Demonstration der Wirbelsäule durchgeführt wird, kann sich somit innerhalb des Raumes ändern. Diese Bewegungsfreiheit während der Demonstration soll nicht durch eine drahtgebundene Kommunikationsverbindung eingeschränkt werden. Zudem sollen Dozierende während der Interaktion mit dem Wirbelsäulenmodell keine Einschränkungen durch Kabelverbindungen erfahren. In diesem Zusammenhang ist daher eine drahtlose Kommunikationsschnittstelle notwendig. Abhängig der Lehrräume gilt es bei der Kommunikation zwischen der interaktiven Wirbelsäule und dem Computersystem, auf dem die Lernanwendung geladen ist, eine Reichweite von bis zu ~25 m zu überbrücken (siehe Abschnitt 2.6).

Des Weiteren findet ein bidirektionaler Datenaustausch zwischen der zu entwickelnden Lernanwendung und der Lernplattform *Moodle* statt. Über die *API*
von *Moodle* sollen Fragen eines Fragenkatalogs in die Lernanwendung geladen
werden und in die andere Richtung Spielerstatistiken und Lernforschritte von der
Lernanwendung an *Moodle* übertragen werden. Die *API* zu *Moodle* erfordert dabei
eine Übertragung von Anweisungen basierend auf dem Internetprotokoll *Hypertext
Transfer Protocol (HTTP)*. Die Verbindung findet daher über das Internet beziehungsweise das Intranet der *UzL* statt. Hierbei kann die Netzwerkinfrastruktur
der *UzL* genutzt werden, welche sowohl eine kabelgebundene als auch eine drahtlose Verbindung von Einzelplatzsystemen zum Internet beziehungsweise Intranet
ermöglicht. Es ergibt sich jedoch keine Anforderung an eine Mobilität des verwendeten Einzelplatzsystems.

Tabelle 3.4 Anforderungen an die Mobilität, Reichweite und Anbindung an die Lernplattform *Moodle*

⚙	Resultierende technische Anforderungen
•	**Drahtlose Kommunikation** zwischen interaktiver Wirbelsäule und Lernanwendung mit einer **Reichweite von ∼25 m**
•	**Drahtlose Energieversorgung** des verarbeitenden Computersystems an der interaktiven Wirbelsäule.
•	Das der Lernanwendung zugrundeliegende Computersystem benötigt einen **Internetzugang oder Zugang zum Intranet der UzL**, um eine Kommunikationsverbindung zur Lernplattform *Moodle* herstellen zu können.

3.5   Nutzbare Übertragungstechnologien

Aufgrund der niedrigschwelligen Anforderungen bezüglich der Datenübertragungsrate und der zu überbrückenden Distanz mit einer drahtlosen Verbindung ergibt sich
eine große Auswahl möglicher Übertragungstechnologien für die Kommunikation
der beteiligten Komponenten.

Mögliche Übertragungstechnologien für die Kommunikation zwischen der
Lernanwendung und der Lernplattform werden in diesem Abschnitt nicht weiter
betrachtet. Für die Kommunikation zwischen diesen Komponenten wird die Netz-
infrastruktur der *UzL* genutzt und als gegeben angesehen.

Für die Nutzung der Lernanwendung auf einem Computersystem außerhalb der Netzwerkinfrastruktur der *UzL* ergibt sich dadurch jedoch die Anforderung eines Internetzugangs. Der Fokus dieses Abschnitts liegt im folgenden auf der Untersuchung möglicher Übertragungstechnologien für die Kommunikation zwischen der interaktiven Wirbelsäule und der Lernanwendung.

Aufgrund der geforderten maximalen Sendereichweite von $\sim$25 m und der Notwendigkeit der drahtlosen Kommunikation werden bei der Untersuchung Übertragungstechnologien für die drahtlose Kurzstrecken-Kommunikation berücksichtigt [117]. Darunter fallen unter anderem die Technologien *Ultra-Wide Band*, *WiFi*, *ZigBee* und *Bluetooth*, die sich unter anderem im Bereich der Kommunikationsreichweite und möglicher Datenübertragungsrate unterscheiden [117]. Bezüglich der bisher festgelegten Anforderungen an die Übertragungstechnologie, mit Sicht auf die unterstützte Reichweite und Datenübertragungsrate, sind alle genannten Übertragungstechnologien zulässig für die Kommunikation der interaktiven Wirbelsäule und der Lernanwendung.

Allerdings soll ein weiteres Kriterium, nämlich die Verfügbarkeit beziehungsweise die bereits genutzten Übertragungstechnologien im technischen Umfeld der *UzL* und im privaten Umfeld von Studierenden, berücksichtigt werden. Letzteres gewinnt zusätzlich an Relevanz, sofern Studierenden die Möglichkeit geboten werden kann, ein interaktives Wirbelsäulenmodell auch im privaten Umfeld beim selbstorganisierten Lernen zu Hause zu nutzen.

Einzelplatzsysteme der *UzL* verfügen in den meisten Fällen über die technische Ausstattung eines *WiFi*-Moduls zur drahtlosen Kommunikation. Des Weiteren entwickelt sich die Ausstattung mit einem *Bluetooth*-Modul bei modernen Computersystemen wie Desktop-PCs oder Notebooks zu einem Standard [169]. Daher wird angenommen, dass ebenfalls private Computer von Studierenden zum größeren Anteil über ein *WiFi*- als auch ein *Bluetooth*-Modul verfügen, um eine entsprechende drahtlose Verbindung nutzen können.

Aufgrund der hohen Verfügbarkeit von *WiFi*- und *Bluetooth*-Technologie im technischen Umfeld der *UzL* und dem privaten Umfeld von Studierenden werden nachfolgend diese beiden Übertragungstechnologien gegenübergestellt und deren Vor- und Nachteile im Bezug auf das zu entwickelnde interaktive Wirbelsäulenmodell untersucht.

Tabelle 3.5 Vergleich der nutzbaren Übertragungstechnologien *Bluetooth* und *WiFi*

Bluetooth

+ **niedriger Energieverbrauch pro Sendeereignis** [117]:
Ein niedriger Energieverbrauch hat zur Folge, dass eine kleinere Energiequelle, im Sinne eines geringeren Platzbedarfs, an der interaktiven Wirbelsäule ausreichen kann.

+ **geringe Komplexität bei der Einrichtung**: Einfache Installation einer Direktverbindung zwischen zwei Geräten mithilfe des *Secure Simple Pairing* Verfahrens [170]. Für die Kommunikation bedarf es daher keiner Integration in ein komplexes Netzwerk. Die interaktive Wirbelsäule kann darüber direkt mit einem beliebigen Computersystem verbunden werden.

WiFi

+ **hohe Verfügbarkeit**:
Die Ausstattung eines modernen Computersystems mit einem *WiFi*-Modul ist tendenziell höher als die Ausstattung mit einem *Bluetooth*-Modul [169].

− **höherer Energieverbrauch pro Sendeereignis** [117]:
Ein hoher Energieverbrauch bedingt eine größere Energiequelle. Damit verbunden ist ein höherer Platzbedarf oder die Notwendigkeit frequenter Ladevorgänge.

− **hohe Komplexität bei der Einrichtung**:
Die Integration eines neuen WLAN-Teilnehmers wird häufig über eine verwaltende Instanz umgesetzt [170]. Dies kann im Netzwerk der *UzL* mit einem höheren Verwaltungsaufwand verbunden sein. Im privaten Umfeld von Studierenden kann sich dies durch den Mangel einer grafischen Oberfläche der interaktiven Wirbelsäule ebenfalls als kompliziert gestalten.

3.6   Energieversorgung

Wie in der Analyse des räumlichen Kontexts in Abschnitt 2.6.2 bereits angedeutet, wird eine drahtlose Energieversorgung der technischen Komponenten des *TUI* benötigt, um dessen Mobilität zu erhalten. Dazu bietet sich die Anbringung einer versorgenden Batterie am *TUI* selbst an. Hierbei gilt es zu klären, welcher Energieverbrauch durch die technischen Komponenten anfällt, damit entschieden werden kann, über welche Kapazität die Versorgungseinheit verfügen sollte.

Aus dem vorherigen Teil der Analyse geht hervor, dass sich als verarbeitende Einheit ein Einplatinen-Computer wie der *RPI* oder ein Mikrocontroller des Herstellers *Arduino* eignen (siehe Abschnitt 3.1.1). Den tendenziell höheren Energieverbrauch dieser beiden Varianten hat der *RPI* [171], weshalb dieser bei der Berechnung des geschätzten Energieverbrauchs verwendet wird. Gemäß eines Benchmark-Test des aktuellen *RPI* Modell 4B liegt der Energieverbrauch während hoher Prozesslast bei ~8 Watt (W) [172]. Dadurch ergibt sich ein Energieverbrauch von ~8 Wattstunden (Wh) pro Stunde beziehungsweise ~12 Wh pro 90 Minuten, was der üblichen Dauer der beobachteten Vorlesung entspricht. Davon ausgehend, dass das *TUI* nach einer Vorlesungseinheit wieder vollständig geladen werden kann bevor es wieder zum Einsatz kommt, wird daher eine Batteriekapazität von mindestens 12 Wh benötigt.

3.7 Spiel-Engine

Die zu entwickelnde Bildungssoftware soll als gamifizierte Lernanwendung umgesetzt werden, da in Abschnitt 2.4 der Analyse untersucht werden konnte, dass auf die Benutzergruppe angepasste Spielmechaniken in einer Lernanwendung zu einem höheren Lernerfolg und einer Steigerung der Lernmotivation führen kann. Daher ist es naheliegend, zur Entwicklung der Anwendung eine *Spiel-Engine* zu verwenden, welche auf die Entwicklung von Computerspielen spezialisiert sind.

Spiel-Engines liefern dabei nützliche Funktionen zur Erstellung einer Spielumgebung, beispielsweise durch Hilfsmittel zur Integration von grafischen Modellen, visueller Effekte oder Soundeffekte. Des Weiteren ermöglichen sie im Entwicklungsprozess eine Verwaltung derartiger Spielressourcen (*Game Assets*) sowie von Spielfortschritten und Spielerstatistiken in Form von Speicherständen.

Zudem werden häufig sogenannte *Physik-Engine* mitgeliefert, welche Bewegungsabläufe oder Kollisionen von Objekten innerhalb einer Spielumgebung abhängig implementierter physikalischer Verhaltensregeln beeinflussen.

Im Bezug auf die zu entwickelnde Lernanwendung kann mit einer *Spiel-Engine* eine Spielumgebung geschaffen werden, in die unter anderem das virtuelle Abbild der Wirbelsäule integriert wird. Mithilfe visueller Effekte kann die Präsentation dieses 3D-Modells erweitert werden. Durch die *Spiel-Engine* können Benutzereingaben entsprechend verarbeitet werden und zu einer Modifikation des virtuellen Modells führen. Des Weiteren kann die virtuelle Wirbelsäule innerhalb der Spielumgebung mit Zusatzinformationen wie Bezeichnungen zu selektierten Strukturen visualisiert werden. Durch den Einsatz einer *Physik-Engine* können zudem Bewegungsabläufe innerhalb anatomischer Systeme simuliert oder das Zusammenwirken von Strukturen realistisch nachgestellt werden. Anhand dieser Beispiele soll verdeutlicht werden, welche Vorteile sich aus der Nutzung einer *Spiel-Engine* bei der Entwicklung ergeben.

Nichtsdestotrotz ist die Auswahl an verfügbaren Spiel-Engines groß und ist an projektspezifische Anforderungen an die zu entwickelnde Spielanwendung geknüpft. Zur Orientierung und als Unterstützung bei der Auswahl einer *Spiel-Engine* wurde daher ein Leitfaden auf Basis einer Internetrecherche erstellt. Diese Recherche beinhaltete dabei die Sammlung von Kriterien, welche innerhalb von Blog-Einträgen oder auf Webseiten zum Thema Spieleentwicklung von professionellen Spiele-Entwicklern genannt wurden. Dabei wurden die in Tabelle 3.6 gesammelten Kriterien am häufigsten genannt [173][174][175][176][177]:

Tabelle 3.6 Populäre Kriterien bei Auswahl einer *Spiel-Engine* für Gaming Projekte

	Zielplattform: Für welche Betriebssysteme soll das Spiel verfügbar sein?
	Dimension: Wird eine 2D- oder 3D-Spielwelt angestrebt?
	Spieleranzahl: Wird ein Single- oder Multiplayer-Spiel angestrebt?
	Programmiersprache: Gibt es Präferenzen zu Programmiersprachen?
	Popularität Existiert eine große Community zur *Spiel-Engine* sowie qualitativ hochwertiger Tutorials und Dokumentationen?
	Preis und Lizenzierung: Welche Kosten entstehen durch die Nutzung?
	Vorerfahrung und Lernaufwand: Welche Erfahrung zur Spieleentwicklung bestehen bereits und wie einsteigerfreundlich ist die Bedienung?

Anschließend wurden die am häufigsten verwendeten Spiel-Engines bestimmt, um eine Berücksichtigung des zuvor definierten Kriteriums bezüglich der Popularität zu gewährleisten. Nach einer Statistik von *Steam* [178] wurden die meisten der dort veröffentlichten Spiele mit den Spiel-Engines *Unreal, Unity, Source* oder *Cryengine* entwickelt. Laut einer weiteren Statistik der Webseite *Itch.IO* [179], die hauptsächlich von unabhängigen Entwicklern zur Veröffentlichung von Videospielen verwendet wird, sind die meistgenutzten Spiel-Engines der dort verfügbaren Spiele *Unity, Construct, GameMaker* und *Twine*.

Unity ist laut dieser Statistiken damit jeweils unter den fünf populärsten Spiel-Engines und wird zudem häufig als einsteigerfreundliche *Spiel-Engine* [173][176] mit einer aktiven und unterstützenden Community bewertet [180]. Es unterstützt außerdem die Entwicklung von 3D-Spielwelten [181], was bei der angestrebten Lernanwendung erforderlich ist (siehe Tabelle 2.5). Des Weiteren kann die Software frei für nicht-kommerzielle Zwecke genutzt werden [181], was im Rahmen dieses Projekts im Bereich der Hochschul-Lehre zutreffend ist. Ebenfalls können mit *Unity* entwickelte Projekte für die Zielplattformen Windows, Linux, macOS oder auch für eine Einbettung in Websites [181], wie beispielsweise in die verwendete Lernplattform *Moodle*, bereitgestellt werden. Diese sind die an der *UzL* am häufigsten eingesetzten Betriebssysteme.

Bezogen auf die angestrebte gamifizierte Lernanwendung und unter Berücksichtigung der recherchierten Kriterien an die in der Entwicklung verwendete *Spiel-Engine*, erscheint *Unity* als geeignete Software. Hierbei wirkt neben der objektiv bewertbaren Eignung bezüglich der aufgestellten Kriterien auch die eigene, persönliche Präferenzen der in *Unity* verwendeten Programmiersprache C# und die geringe Vorerfahrung im Bereich der Spieleentwicklung mit ein.

Tabelle 3.7 Anforderungen an die verwendete *Spiel-Engine* und der Lernanwendung

🔧	**Resultierende technische Anforderungen**
•	Angestrebte **Zielplattformen** für die Lernanwendung sind die **Betriebssysteme Windows, Linux und macOS**. Des Weiteren soll ebenfalls eine direkte **Website Integration** der Lernanwendung in die Weboberfläche von *Moodle* möglich sein.
•	Die Lernanwendung soll über einen **Einzelspieler-Modus** verfügen, damit Studierende sie für ihre individuelle Lernaktivität nutzen können.
•	Sowohl die **Demonstration von anatomischen Objekten** als auch die gamifizierte Lernanwendung soll **in einer 3D-Umgebung** dargestellt sein.

3.8 Zusammenfassung: Resultierende technische Anforderungen

Basierend auf der durchgeführten technischen Analyse konnten technische Anforderungen an die Interkommunikation der beteiligten Systemkomponenten sowie deren benötigte Ressourcen erfasst werden. Zudem wurde untersucht, welche Übertragungstechnologie für die jeweiligen Kommunikationsverbindungen der Komponenten in Frage kommen und welche Anforderungen an sie gestellt werden. Außerdem wurde analysiert, welche Kriterien bei der Auswahl einer zur Entwicklung der Spielanwendung eingesetzten *Spiel-Engine* berücksichtigt werden sollen.

Tabelle 3.8 Zusammenfassung der technischen Anforderungen zur Umsetzung der verteilten Anwendung bestehend aus dem interaktiven Wirbelsäulenmode, der gamifizierten Lernanwendung und der Lernplattform *Moodle*

1. Ziel: Gestaltung des Wirbelsäulenmodells als *TUI*
• Zur Umsetzung der Interaktionsfähigkeit des Wirbelsäulenmodells wird Sensorik zur Detektion von Berührung und Drehbewegungen benötigt (siehe Tabelle 3.1).
• Es wird ein verarbeitendes Computersystem benötigt, welches erfasste Sensordaten verarbeitet und weitervermitteln kann (siehe Tabelle 3.1).
• Zur Vermittlung wird eine unidirektionale und drahtlose Kommunikationsverbindung zwischen dem Modell und der Lernanwendung benötigt, um die Mobilität des *TUI* zu bewahren (siehe Tabelle 3.3).
• Die angebrachten Elektronikbauteile am *TUI* benötigen eine kabellose Energieversorgung durch eine Batterie (siehe Tabelle 3.4).
2. Ziel: Bereitstellung einer gamifizierten Lernanwendung
• Innerhalb der Spielanwendung sollen dreidimensionale Objekte zur Anatomie der Wirbelsäule dargestellt werden. Daher wird eine *Spiel-Engine* benötigt, welche die Entwicklung einer 3D-Spielwelt unterstützt (siehe Tabelle 3.7).
• Die Spielanwendung benötigt eine Kommunikationsschnittstelle, um Nachrichten zu getätigten Interaktionen am interaktiven Wirbelsäulenmodell erhalten zu können (siehe Tabelle 3.3).
• Die benötigte Datenübertragungsrate zwischen der interaktiven Wirbelsäule und der Lernanwendung liegt bei etwa 22,4 kB/s (siehe Tabelle 3.2).
3. Ziel: Integration in die Lehrinfrastruktur
• Es wird eine bidirektionale Kommunikationsverbindung zwischen der Spielanwendung und der Lernplattform *Moodle* benötigt, um von dort konzipierte Fragestellungen zu beziehen und ebenfalls Spielerstatistiken und Lernfortschritte der Studierenden zu speichern (siehe Tabelle 3.3).
• Die Bereitstellung der Spielanwendung soll mithilfe der Lernplattform *Moodle* möglich sein. Dabei soll entweder eine Verteilung der Lernanwendung über die Lernplattform oder auch eine direkte Integration in die Weboberfläche von *Moodle* möglich sein (siehe Tabelle 3.7).

Die resultierenden Anforderungen der technischen Analyse lassen sich dabei drei übergeordneten Zielen bezüglich der Entwicklung der verteilten Anwendung zuordnen. Sie umfassen die Entwicklung des interaktiven Wirbelsäulenmodells sowie dessen Interaktionsfähigkeit, die Realisierung und Bereitstellung der Spielanwendung sowie die Integration der Lernanwendung in die bereits existierende Lehrinfrastruktur der *UzL*. Diese in Tabelle 3.8 aufgelisteten übergeordneten Ziele gilt es innerhalb der Konzeption, also bei der technischen Gestaltung der Bildungstechnologie, zu berücksichtigen.

Konzeption

4

In den beiden vorherigen Kapiteln wurden sowohl Anforderungen auf Grundlage der Bedürfnisse der Benutzer:innen und der Nutzungsumgebung sowie technische Anforderungen an die zu entwickelnden Bildungstechnologie erfasst. Diese sollen nun im Rahmen einer Konzeption der interaktiven Wirbelsäule sowie der zugehörigen Bildungssoftware berücksichtigt werden.

Dazu wird in einem ersten Schritt eine Systemarchitektur vorgestellt, welche zum einen die beteiligten Systemkomponenten und zum anderen auch deren Kommunikationsschnittstellen demonstriert. Zudem wird ein Nachrichtenformat definiert, welches zur Übertragung der getätigten Benutzerinteraktionen am *TUI* hin zur Lernanwendung genutzt werden soll.

Des Weiteren wird die Situation der Benutzer:innen bei der Nutzung des interaktiven Systems sowie das entsprechende Systemverhalten bei bestimmten Benutzerinteraktionen beschrieben. Dadurch sollen Anwendungsfälle abgeleitet werden, welche im Rahmen der nachfolgenden Realisierung in Kapitel 5 berücksichtigt werden.

Anschließend erfolgt zum Zweck der Gamifizierung der Lernanwendung eine Auswahl geeigneter Spielmechaniken, welche die in der Anforderungsanalyse identifizierten Spielertypen (siehe Abschnitt 2.4) berücksichtigt. Daran anschließend wird ein Konzept zur Integration dieser Spielmechaniken in die Lernanwendung vorgestellt (siehe Abschnitt 4.3) sowie deren Einfluss auf die visuelle und strukturelle Gestaltung der grafischen Benutzeroberfläche innerhalb des Lernmodus für Studierende.

Abschließend erfolgt die Vorstellung eines Konzepts bezüglich der Benutzungsschnittstellen. Dieses umfasst sowohl die technische Gestaltung des *TUI*, um die in Tabelle 2.7 geforderten Interaktionsstile zu unterstützen sowie die grafische

P. Goldbach, *Entwicklung einer interaktiven Wirbelsäule inklusive gamifizierter Lernanwendung*, BestMasters, https://doi.org/10.1007/978-3-658-42745-0_4

Gestaltung der Nutzungsmodi beziehungsweise der *GUI* innerhalb der Lernanwendung (siehe Abschnitt 4.4).

4.1   Systemarchitektur

Die zu entwickelnde Anwendung besteht, wie in Abschnitt 3.1 beschrieben, aus mehreren Komponenten, welche untereinander Informationen austauschen. Eine Anwendung solcher Struktur wird von A. Tanenbaum als verteiltes System oder spezieller als verteilte Anwendung beschrieben, welche sich dem Nutzenden als ein einziges System präsentiert [118].

Im folgenden Abschnitt gilt es, die Systemarchitektur dieser verteilten Anwendung zu definieren. Dazu werden die in der Analyse identifizierten Komponenten abhängig der erforderlichen Kommunikationsverbindungen miteinander verknüpft.

Eine wesentliche Komponente des Gesamtsystems ist die interaktive Wirbelsäule, denn sie bildet für Dozierende und Studierende die primäre Benutzungsschnittstelle bei der Demonstration oder Exploration der Anatomie der Wirbelsäule. Die interaktive Wirbelsäule als *TUI* erfasst mithilfe einer Berührungssensorik (siehe Abschnitt 4.4) die Berührungsinteraktion der Benutzer:innen. Außerdem enthält sie eine Rotationssensorik, um Drehbewegungen des gesamten physischen Wirbelsäulenmodells zu detektieren. Diese erfassten Informationen werden über eine Systemeinheit in Form eines Mini-Computers verarbeitet und an die Lernanwendung übertragen. Diese auswertende Recheneinheit soll dabei der Mini-Computer RPI 4B bilden. Innerhalb der Analyse konnte untersucht werden, dass für diesen eine Reihe geeigneter Sensorik sowohl zur Erkennung der Berührung als auch der Rotation zur Verfügung stehen und gleichzeitig über unterschiedliche Module zur drahtlosen Kommunikation verfügt. Die Auswahl der dabei verwendeten Kommunikationstechnologie wird im nachfolgenden Abschnitt 4.1.1 näher beschrieben.

Die zentrale Komponente der verteilten Anwendung bildet die Lernanwendung beziehungsweise Bildungssoftware selbst. Sie dient zur Darstellung der virtuellen Repräsentation der physischen Wirbelsäule und erhält dazu sämtliche Informationen über ausgeführte Benutzerinteraktionen, um eine entsprechende Modifikation des virtuellen Abbilds umzusetzen. Zu diesem Zweck erhält sie Daten vom Mini-Computer der interaktiven Wirbelsäule, welcher die Benutzerinteraktion in Form von Nachrichten mit Selektions- als auch Rotations-Informationen versendet. Das dabei verwendete Nachrichtenformat wird in Abschnitt 4.1.2 beschrieben. Ein Rückkanal zur Sendung von Informationen zurück an die interaktive Wirbelsäule wird im geplanten prototypischen Setup nicht benötigt.

Die Lernanwendung soll als Lernunterstützung dienen, indem kursbezogene Fragestellungen in Form eines Quiz beantwortet werden. Die verwendeten Fragestellungen sollen durch Dozierende konzipiert und verwaltet werden (siehe Tabelle 2.7 Ziel 3.4). Dazu dient die Lernplattform *Moodle* als Komponente zur Speicherung eines Fragenkatalogs. Mithilfe der von *Moodle* bereitgestellten *API* können die konzipierten Fragestellungen durch die Lernanwendung von dort bezogen werden. Gleichermaßen soll *Moodle* dazu verwendet werden, um erreichte Lernfortschritte und Spielerstatistiken zu speichern, welche ebenfalls mithilfe der *Moodle API* übertragen werden sollen. Der resultierende Vorteil ist die zentrale Speicherung und infolgedessen die einheitliche Verteilung der derzeit aktuellen und in *Moodle* gepflegten Quizfragen. Der Nachteil ist die Notwendigkeit der Vernetzung mit einem von der IT-Abteilung der *UzL* verwalteten System, auf dass ohne weitere administrative Absprache kein Zugriff besteht.

Die daraus resultierende verteilte Anwendung beziehungsweise die konzipierte Systemarchitektur ist in Abbildung 4.1 dargestellt. Diese beinhaltet die drei Kernkomponenten der Anwendung: die interaktive Wirbelsäule, die Lernanwendung und die Lernplattform *Moodle* als speichernde Komponente. In Abbildung 4.1 werden zudem die Kommunikationsverbindungen zwischen den Komponenten veranschaulicht. Die Auswahl der zur Kommunikation verwendeten Technologie und das konzipierte Nachrichtenaustauschformat werden in den beiden nachfolgenden Abschnitten erläutert.

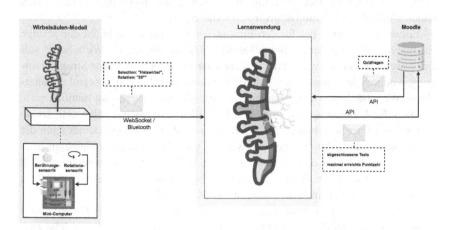

Abbildung 4.1 Systemarchitektur der konzipierten verteilten Anwendung mit beteiligten Hauptkomponenten und zugehörigen Kommunikationsverbindungen

4.1.1 Kommunikationstechnologie

Als geeignete Kommunikationstechnologien für die Datenübertragung zwischen der interaktiven Wirbelsäule und der Lernanwendung kommen, entsprechend der Analyseergebnisse, *Bluetooth* oder *WiFi* in Frage (siehe Abschnitt 3.2). Diese erfüllen beide die definierten Anforderungen hinsichtlich Mobilität, Reichweite und Datenübertragungsrate. Allerdings konnten bei der Analyse dieser Technologien weitere Vor- und Nachteile herausgearbeitet werden (siehe Abschnitt 3.5), welche im Rahmen dieser Konzeption bei der Auswahl helfen sollen.

Ein wesentlicher Faktor bei der Konzeption der interaktiven Wirbelsäule ist die Priorisierung einer einfachen Bedienung und unkomplizierten Integration der Bildungstechnologie in die medizinische Lehre. In diesem Zusammenhang soll auch die Einrichtung der interaktiven Wirbelsäule berücksichtigt werden. Dabei zeichnet sich *Bluetooth* durch eine einfache Installation bei der Errichtung einer Direktverbindung zwischen zwei Geräten aus. Hierbei unterliegt die Technologie *WiFi* bei der Komplexität der Einrichtung. Wie in der Systemübersicht in Abschnitt 4.1 definiert wurde, handelt es sich bei der verarbeitenden Recheneinheit um den Mini-Computer RPi 4B. Dieser verfügt über keine integrierte *GUI* oder einer anderen vertrauten Benutzungsschnittstelle, wodurch die Einrichtung einer Ad-hoc *WiFi* Verbindung erschwert wird. Eine Alternative dazu wäre jedoch die interaktive Wirbelsäule zuvor durch einen Experten in die Netzwerkinfrastruktur zu integrieren. Diese Lösung wird jedoch im Rahmen der Konzeption nicht angestrebt, da sich dadurch ein erhöhter administrativer Aufwand ergibt.

Ein weiterer Faktor, der für den Einsatz von *Bluetooth* spricht, ist der geringe Energieverbrauch bei der Kommunikation [117]. Die interaktive Wirbelsäule soll frei beweglich sein und verfügt daher nicht über eine kabelgebundene Stromversorgung, wodurch der Einsatz einer Batterie notwendig wird. Allerdings soll die interaktive Wirbelsäule den Dozierenden als Demonstrationswerkzeug dienlich sein, weshalb die Anbringung von störenden Bauteilen vermieden werden soll. Umso geringer der Energieverbrauch bei der Kommunikation ist, desto kleiner kann die Energiekapazität der Batterie gewählt werden, was häufig mit einer kleineren Bauform einhergeht. Sofern die energieversorgende Einheit platzsparend genug gewählt wird, kann sie unter Umständen störungsfrei angebracht werden. Je nach Bauform eventuell sogar durch eine Einbettung in das Modell selbst.

Zusammengefasst wird aufgrund der einfachen Einrichtung einer Direktverbindung zwischen zwei Geräten und des geringeren Energieverbrauchs, welche zum Einsatz einer platzsparenden Batterie führt, die Kommunikationstechnologie *Bluetooth* favorisiert.

4.1.2 Nachrichtenformat

Im Rahmen der Analyse zur Benutzerinteraktion mit der interaktiven Wirbelsäule konnten insgesamt zwei Interaktionsstile identifiziert werden. Diese umfassen die Selektion von Strukturen an der Wirbelsäule und die Drehbewegung des physischen Modells. Um die ausgeführte Interaktion an die Lernanwendung zu übertragen, wird ein einheitliches Nachrichtenformat konzipiert. Allgemein besteht die Nachricht aus einem Aktionstyp beziehungsweise dem Interaktionsstil und zugehöriger Zusatzinformationen. Die Nachricht teilt sich daher, wie in Abbildung 4.2 dargestellt, in die Teile «Action Type» und «Action Data» auf. Daraus können die zwei spezifischeren Nachrichten zur Übertragung der jeweiligen Benutzerinteraktion abgeleitet werden.

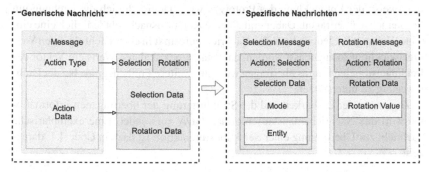

Abbildung 4.2 Nachrichtenformat zur Übertragung von Benutzerinteraktionen

Im Fall einer Selektion beziehungsweise einer «Selection Message» wird neben dem Interaktionsstil übertragen, welche Struktur berührt wurde. Dazu dient das Datenfeld «Entity», welches den Namen der berührten Struktur als Zeichenkette enthält. Des Weiteren wurde in der Analyse festgestellt, dass bei der Demonstration einer therapeutischen Behandlung die Selektion mehrerer Strukturen relevant ist (siehe Abschnitt 2.2). Damit die Lernanwendung erkennen kann, dass die übertragene zu selektierende Struktur zusätzlich zu bereits hervorgehobenen Strukturen markiert werden soll, dient die Angabe des «Additive Mode» im Datenfeld «Mode». Dabei werden bereits markierte Strukturen im virtuellen Abbild nicht deselektiert, sondern die übertragene Struktur wird den bereits markierten Strukturen hinzugefügt.

Bei der Wissensvermittlung zu einzelnen anatomischen Strukturen mitsamt ihrer Bezeichnung, Funktion und dem Zusammenwirken mit anderen Strukturen, soll lediglich eine einzelne Struktur im virtuellen Abbild hervorgehoben und in den Fokus gesetzt werden. Für diesen Fall dient der Selektionsmodus «Single Mode», bei dem lediglich das übertragene Objekt hervorgehoben wird und vorher markierte Objekte deselektiert werden. Der Wechsel zwischen diesen beiden Modi soll dabei durch Dozierende bestimmt werden können und wird im Rahmen der Konzeption zur Benutzungsschnittstelle definiert (siehe Abschnitt 4.4).

Die andere Form der Interaktion findet durch eine Drehbewegung des physischen Modells statt und erzeugt eine «Rotation Message». Diese Drehbewegung kann mithilfe des in Abbildung 4.2 definierten Interaktionsstils «Rotation» umgesetzt werden. Bei der Rotation wird daraufhin die entsprechende Nachricht mit der Angabe des Bogenwinkels übertragen. Zur Vereinfachung der Interaktion beziehungsweise der Entwicklung des Prototyps wird dabei lediglich die Drehung um die Gierachse übertragen. Daher enthält eine Rotationsnachricht lediglich eine einzelne Wertangabe. Jedoch kann das Nachrichtenformat in einer nachfolgenden Weiterentwicklung so angepasst werden, dass statt eines skalaren Werts ein Vektor des dreidimensionalen Raums übertragen wird, um weitere Freiheitsgrade bei der Drehbewegung zu unterstützen.

Zugunsten der Lesbarkeit und der Strukturierung der übertragenen Informationen wird das Nachrichtenaustauschformat *JSON* verwendet. Eine exemplarische Nachricht zur Übertragung einer Selektionsinteraktion ist dazu in Code 4.1. dargestellt.

```
{
  ''message'':
  {
    ''action'': ''Selection'',
    ''selectionData'':
    {
      ''entity'': ''Atlas'',
      ''mode'': ''Single''
    }
  }
}
```

Code 4.1 Beispielhafte Nachricht zur Übertragung einer selektierten Struktur

4.2 Situation der Nutzenden

Für die weitere Konzeption des Gesamtsystems ist es notwendig, die Situation der Nutzenden bei der Interaktion mit dem System in den Fokus zu stellen. Die analysierten Anforderungen der Benutzer:innen sind hierbei maßgeblich für die geforderte Funktionalität und zu erfüllenden Aufgaben des Systems. Im Folgenden wird ein Überblick über mögliche Anwendungsfälle aus der Perspektive der Nutzenden vorgestellt.

Ziel dieses Abschnitts ist die Identifikation möglicher Benutzerinteraktionen mit dem System. Gleichzeitig sollen die erforderlichen Systemaufgaben identifiziert werden, welche letztendlich für die gewünschte Unterstützung der Benutzer:innen in unterschiedlichen Anwendungsfällen erforderlich sind.

Wie in der Anforderungsanalyse und speziell in der Benutzeranalyse in Abschnitt 2.3 festgestellt wurde, verfolgen die identifizierten Benutzergruppen unterschiedliche Ziele bei der Nutzung des Systems. Während Dozierende das System zur Veranschaulichung in Lehrveranstaltungen verwenden, dient es Studierenden als Lernunterstützung. Aufgrund dieser unterschiedlichen Interessen werden daher die Situationen der Nutzenden aus den Perspektiven der Dozierenden und nachfolgend der Studierenden beschrieben.

Zur Visualisierung des durch Benutzerinteraktionen ausgelösten Systemverhaltens wird eine grafische Übersicht ähnlich eines Anwendungsfalldiagramms der Modellierungssprache *Unified Modeling Language (UML)* erstellt.

4.2.1 Benutzersicht: Dozierende

Ein angestrebtes Ziel für die Lehre ist die anschauliche Gestaltung der Lehrveranstaltung und eine nachvollziehbare Wissensvermittlung (siehe Tabelle 2.7 Ziel 1). Die fiktive Persona Dr. Jana Eichmann ist stets daran interessiert Bildungstechnologien und digitale Medien einzusetzen, um eine Anschaulichkeit der Lehrthemen und eine interaktive Form der Lehre ermöglichen zu können.

Im Rahmen ihres Untersuchungskurses am Lehrstuhl für Allgemeinmedizin verwendet sie zur Demonstration der Verortung von anatomischen Strukturen oder von Verfahren zur therapeutischen Behandlung ein konventionelles physisches Wirbelsäulenmodell. Daran beschreibt sie die Funktionalität einzelner Strukturen und deren Zusammenwirken mit umliegenden Strukturen wie beispielsweise verschiedenen Muskelschichten. Die bei der Vorführung fokussierten Strukturen werden in diesem Prozess durch Dr. Eichmann per Fingerberührung gezeigt. Schwieriger wird die Nachvollziehbarkeit der relevanten Strukturen sobald bei der Demonstration mehrere Strukturen involviert sind. Eine weitere Problematik bei der Demonstration mit dem konventionellen Wirbelsäulenmodell ist die Veranschaulichung des räumlichen Kontexts, da lediglich knöcherne Strukturen und Ligamente am Modell vorhanden sind. Der räumliche Bezug zu nahegelegenen Muskelstrukturen kann jedoch nicht visuell hergestellt werden kann.

In Abbildung 4.3 ist die gewünschte Benutzerinteraktion mit der zu realisierenden Anwendung gezeigt, welche die in der Analyse erfassten Anforderungen an das System berücksichtigt. Dadurch soll Dozierenden, wie beispielsweise Dr. Eichmann, die notwendige Unterstützung beim Bewältigen der konstatierten Herausforderungen im Untersuchungskurs geboten werden.

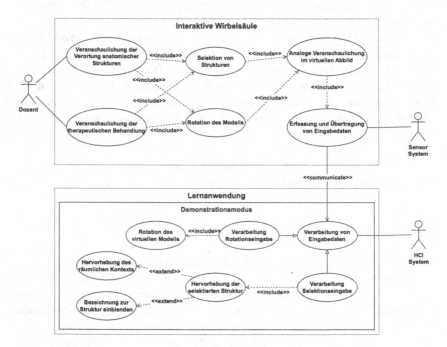

Abbildung 4.3 Situation der Benutzergruppe «Dozierende» während der Demonstration mithilfe der interaktiven Wirbelsäule

Die umzusetzenden Anwendungsfälle beinhalten die Veranschaulichung der Handlungsschritte der Dozierenden bei der Verortung und der therapeutischen Behandlung. Beide Anwendungsfälle inkludieren dabei die Benutzerinteraktionen der Selektion und Rotation des interaktiven Modells. Diese Benutzerinteraktionen

sollen anschließend in einem virtuellen Abbild innerhalb der Lernanwendung visualisiert werden, um die gewünschte Nachvollziehbarkeit bezüglich der Handlungsschritte für Studierende zu erreichen. Dazu ist eine Erfassung und gleichzeitig eine
Übertragung der durchgeführten Interaktionen am Wirbelsäulenmodell notwendig,
welches durch das integrierte Sensor System am Modell durchgeführt wird. Die
Lernanwendung erhält über eine Kommunikationsschnittstelle die Informationen
zu durchgeführten Interaktionen. Sofern es sich dabei um eine Rotationsinteraktion
handelt, soll das virtuelle Modell analog zum physischen Modell um die Gierachse
rotiert werden. Dadurch kann eine Veränderung der Perspektive auf die Anatomie
der Wirbelsäule erreicht werden, welche je nach Bedarf die relevanten Strukturen in den Lehrfokus rückt. Bei einer Interaktion per Berührung beziehungsweise
eine Selektion wird die entsprechende Struktur im virtuellen Abbild visuell hervorgehoben. Die Selektion kann dabei additiv durchgeführt werden, wodurch eine
Hervorhebung mehrerer Strukturen ermöglicht wird. Beispielsweise im Rahmen
der Vorführung einer therapeutischen Behandlung können so alle relevanten Strukturen markiert werden. Sofern nur eine Struktur selektiert ist, wird ein Bezeichner
zu dieser eingeblendet. Gleichzeitig wird der räumliche Kontext zur Struktur hervorgehoben, indem umliegende Strukturen zur Selektierten eingeblendet werden.
Dadurch erhält die dozierende Person die Möglichkeit, das Zusammenwirken von
Strukturen, durch eine virtuelle Darstellung gestützt, zu beschreiben.

4.2.2 Benutzersicht: Studierende

In der Benutzeranalyse in Abschnitt 2.3 wurde untersucht, dass Studierende sich
eine interaktive und anschauliche Gestaltung der Lehre wünschen. Eine Möglichkeit
zur Umsetzung dieser Anforderung (siehe Tabelle 2.7 Ziel 1.3) ist der Einsatz einer
interaktiven und kollaborationsfördernden Bildungstechnologie in Form eines *TUI*
(siehe Abschnitt 1.3).

Durch die Gestaltung eines interaktiven Wirbelsäulenmodells soll Studierenden
ein alternatives Lernmedium zu Verfügung gestellt werden, mit dessen Hilfe sie
die Lehrinhalte in explorativer Weise abrufen können (siehe Tabelle 2.7 Ziel 1.2).
Dies erfolgt durch die Kombination der interaktiven Wirbelsäule mit einer zugehörigen Lernanwendung. Durch die Interaktion mit dem Modell sollen innerhalb
der Lernanwendung Zusatzinformationen zu berührten Strukturen abrufbar werden
(siehe Tabelle 2.7 Ziel 1.1 und 1.2). Studierende sollen darüber sowohl einzelne
Strukturen als auch das Zusammenwirken mehrerer Teile der Wirbelsäule untersuchen können (siehe Tabelle 2.7 Ziel 1.3 und 2.2).

Die fiktive Persona Lukas (siehe Abschnitt 2.5) verwendet in seiner Lernaktivität hauptsächlich Fachbücher, obwohl er, wie ein Großteil seiner Kommilitonen, ein praxisbezogenes Lernen bevorzugt (siehe Abschnitt 2.1.1). Bei Einführung der interaktiven Wirbelsäule in die Lehre kann Lukas das System auf gleiche Weise wie die Dozierenden nutzen (siehe Abschnitt 4.2.1). Somit kann er das Lernen von Fakten interaktiv und visuell unterstützen (siehe Tabelle 2.7 Ziel 1.4), wie in Abbildung 4.4 dargestellt.

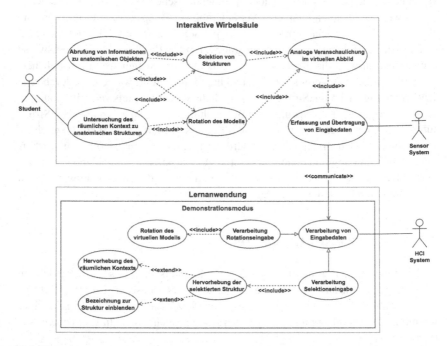

Abbildung 4.4 Situation der Benutzergruppe der Studierenden während der Demonstration mithilfe der interaktiven Wirbelsäule

Zusätzlich hat Lukas die Möglichkeit, die Lernanwendung für eine Wissensüberprüfung der zuvor erlernten theoretischen Inhalte zu nutzen. Dafür steht Studierenden ein weiterer Benutzungsmodus zur Verfügung (siehe Tabelle 2.7 Ziel 3.2). Darin werden ihm die Lerninhalte thematisch strukturiert und in Form von Lerneinheiten präsentiert. Eine Lerneinheit umfasst dabei beispielsweise alle lernrelevanten Inhalte zum Themenblock der Wirbelsäule, die sich für Lukas als Quiz zur Wissensüberprüfung darstellt (siehe Tabelle 2.7 Ziel 2.1).

Ähnlich zu der von Lukas verwendeten Anwendung zum Erlernen von Sprachen (siehe Abschnitt 2.5 und Abschnitt 1.3.2, Beispiel *Duolingo*) ist auch das Quiz durch Spielelemente angereichert. Dies führt dazu, dass Lukas sich gerne mit den Lerninhalten beschäftigt, was zu einer Steigerung seiner Lernmotivation führt (siehe Tabelle 2.7 Ziel 2.3). Mit dem Abschließen von Lerneinheiten erhält Lukas eine Übersicht über seinen individuellen Lernverlauf (siehe Tabelle 2.7 Ziel 2.1). Die eingesetzten Spielelemente und -mechaniken sorgen dafür, dass Lukas sich bereitwillig mit den Lerninhalten auseinandersetzt, um regelmäßig neue Spielerfolge zu erreichen (siehe Tabelle 2.7 Ziel 2.4). Diese Benutzerinteraktionen im Zusammenhang mit der Lernanwendung sind in Abbildung 4.5 zu erkennen.

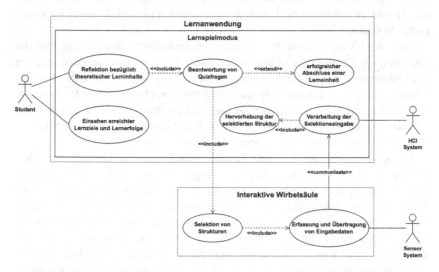

Abbildung 4.5 Situation der Benutzergruppe der Studierenden bei Nutzung der gamifizierten Lernanwendung

Nachdem die Benutzung des Gesamtsystems durch die relevanten Benutzergruppen beleuchtet wurde, werden nachfolgend die dazu notwendigen Benutzungsschnittstellen konzipiert. Diese umfassen zum einen die Interaktionsmöglichkeiten am physischen Wirbelsäulenmodell und zum anderen die Gestaltung der grafischen Benutzungsoberfläche. Zuvor ist jedoch ein Konzept bezüglich der Gamifizierung der Lernanwendung und der dabei verwendeten Spielmechaniken notwendig, da sich diese in der grafischen Gestaltung der Benutzeroberfläche widerspiegeln.

4.3   Game-Design

Unter dem Begriff des *Game-Design* (oder Spieldesigns) wird im Zusammenhang
mit der Computerspiel-Entwicklung die theoretische Konzeption einer Spielumgebung sowie der darin auftretenden Spielregeln verstanden [119]. Somit ist sie
auch ein notwendiger Gestaltungsprozess bei der Gamifizierung, bei dem die Integration von Spielelementen in einen spielfremden Kontext eine Rolle spielt. Ziel
dieses Abschnitts ist daher ein Konzept bezüglich des Spieldesigns der angestrebten
gamifizierten Lernanwendung zu erstellen. Die Idee zur Gamifizierung der Lernanwendung entstand dabei durch die Untersuchung bereits existierender gamifizierter Lernanwendungen, welche nachweislich durch den Einsatz von Spielelementen
einen positiven Effekt auf die Lernmotivation und den Lernerfolg erzielen konnten
(siehe Abschnitt 1.3.4).

Nach Karl Kapp umfasst der Prozess der Gamifizierung jedoch nicht bloß das
Einführen von Erfolgen, Belohnungen und einem Punktesystem, sondern vielmehr
das Einbringen sogenannter *Engaging Elements* [15]. Kapp beschreibt diese als
Elemente, die Menschen ganz allgemein dazu bringen, überhaupt Spiele zu spielen.
Kurzgefasst umfasst dies ein *sofortiges Feedback* bezüglich einer erbrachten Tätig-
keit, das Gefühl *eine Sache erledigt zu haben* und das befriedigende Gefühl *eine
Herausforderung bezwungen* zu haben, der man sich gestellt hat [15].

Die Auswahl der Spielelemente und die Gestaltung der Spielumgebung sollten
dabei stets auf eine bestimmte Zielgruppe ausgelegt sein, welche durch bestimmte
Spielertypen repräsentiert werden kann [20]. Je zutreffender die Elemente auf die
Zielgruppe abgestimmt sind und folglich ansprechender auf die abgezielten Spielertypen wirken, desto stärker ist das Gefühl des « Engagings» beim Spielen beziehungsweise in diesem Fall des spielerischen Lernens [15]. Hierbei wird der Begriff
des «Engagings» in dieser Arbeit als ein Gefühl der Faszination und Interessenwe-
ckung verstanden, welches beim Spielenden bewirkt, dass die Aktivität des spielerischen Lernens als unbeschwert und unterhaltend wahrgenommen wird.

Sofern dieser Effekt erreicht werden kann, wird das Eintreten der im Stand
der Technik beschriebenen positiven Effekte von *Gamification* im Bezug auf das
Lernverhalten erwartet (siehe Abschnitt 1.3.4). Dies umfasst unter anderem eine
erhöhte Lernmotivation und eine Steigerung des Lernerfolgs. Zweiteres bedarf
jedoch zusätzlich der Integration didaktisch qualitativer Lerninhalte innerhalb der
gamifizierten Lernanwendung. Das Auftreten dieser Effekte wird im weiteren Verlauf der Arbeit in Kapitel 6 im Rahmen der Evaluation untersucht.

Im weiteren Verlauf dieses Abschnitts sollen in einem ersten Schritt die für die
Konzeption notwendigen, bevorzugten Spielmechaniken der aus der Anforderungsanalyse hervorgegangenen Spielertypen identifiziert werden. Im nachfolgenden

Abschnitt sollen die dabei identifizierten Spielmechaniken in konkrete Konzepte bezüglich der Gestaltung der Spielumgebung und Spielregeln gefasst werden.

4.3.1 Identifikation bevorzugter Spielmechaniken

Aus den resultierenden Anforderungen der Anforderungsanalyse geht hervor, dass die Konzeption der Spielanwendung beziehungsweise der Einsatz von Spielmechaniken auf häufig auftretende Spielertypen im Bereich der medizinischen Ausbildung angepasst sein soll (siehe Tabelle 2.7 Ziel 2.3). Dabei werden die im Modell von Van Gaalen et al. [20], einer Erweiterung des Bartle Modells, definierten Spielertypen berücksichtigt sowie die entsprechend bevorzugten Spielmechaniken. Aus der zugehörigen Studie wurde anhand der Befragungsergebnisse eine Einschätzung bezüglich der unter Medizinstudent:innen häufig auftretenden Spielertypen abgeleitet. Dabei handelt es sich um die Spielertypen «Social Achiever» und «Explorer» (siehe Abschnitt 2.4). Im Folgenden gilt es die von diesen Spielertypen bevorzugten Mechaniken aus den Definitionen nach Van Gaalen et al. zu extrahieren, um diese im nachfolgenden Prozess des Spieldesigns berücksichtigen zu können.

Zu diesem Zweck werden neben den zusammenfassenden Definitionen der Spielertypen auch die Befragungsergebnisse der Studie einbezogen, welche mithilfe von insgesamt 49 Fragen die bevorzugten Spielmechaniken der einzelnen Spielertypen ermittelte. Jede Fragestellung ist so konzipiert, dass nach der Präferenz zu einer bestimmten Spielmechanik gefragt wurde. Die Bevorzugung einer Spielmechanik bezüglich eines Spielertyps wird dabei mithilfe einer Skala im Wertebereich von -4 bis $+4$ dargestellt, wobei -4 eine sehr schwache oder keine Bevorzugung bedeutet, während $+4$ eine starke Bevorzugung darstellt. Bei der Auswertung wurden lediglich die von Van Gaalen et. al als besonders auffällig definierten Fragetypen und zugehörige Befragungsergebnisse für den jeweiligen Spielertyp berücksichtigt. Die Ergebnisse dieser Auswertung sind entsprechend der beiden Spielertypen getrennt in Abbildung 4.6a und Abbildung 4.6b dargestellt.

Definition Social Achiever:

«Social Achiever» sehen das Spielen als eine soziale Aktivität an und nutzen es als Möglichkeit zur Knüpfung und Erhaltung sozialer Kontakte (Abbildung 4.6a A–B). Sie bevorzugen daher ein gemeinschaftliches Spielen (Abbildung 4.6a C–D). Zudem ist ihnen das Erreichen von Erfolgen beim Spielen besonders wichtig, wobei damit ebenfalls das Erlernen neuen Wissens oder Fähigkeiten gemeint ist (Abbildung 4.6a E). Das Erreichen dieser Ziele wird als angenehme Herausforderung wahrgenommen (Abbildung 4.6a F). Jedoch darf die Aufgabe zur Erreichung der Ziele nicht zu einfach sein (Abbildung 4.6a G) und soll bevorzugt durch Anwendung eines strategischen Vorgehens zu bewältigen sein (Abbildung 4.6a H). Der empfundene Spielspaß wird erhöht, sofern Ziele gemeinsam erreicht werden können. Dabei ist ihnen besonders wichtig, dass erreichte Ziele einsehbar beziehungsweise vorzeigbar sind (Abbildung 4.6a I). Sie wollen stetig besser in einem Spiel werden und sich wiederkehrend neuen Herausforderungen stellen, um dies zu erreichen (Abbildung 4.6a J).

Definition Explorer:

«Explorer» bevorzugen ein immersives Spielgeschehen, welches durch eine gute Geschichte umgesetzt ist, die sie zudem mit beeinflussen können (Abbildung 4.6b A–C). In der Spielwelt wollen sie selbstbestimmt handeln und keinem linearen Pfad

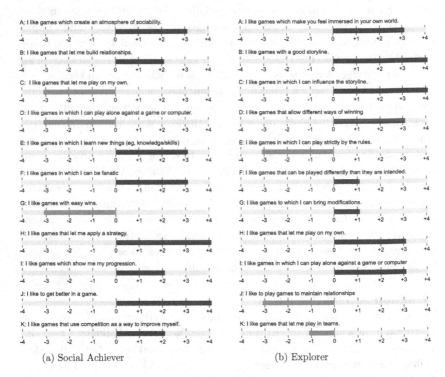

(a) Social Achiever   (b) Explorer

Abbildung 4.6 Bevorzugte Spielmechaniken der Spielertypen «Social Achiever» (a) und «Explorer» (b). Vorlage Van Gaalen et. al Befragungsergebnisse [20]

folgen (Abbildung 4.6b D–E). Sie bevorzugen die Erkundung einer Spielwelt sowie deren Mitgestaltung und Modifikation (Abbildung 4.6b F–G). Das Knüpfen sozialer Kontakte ist für sie nicht relevant, sondern sie bevorzugen das Spielen alleine und treten gerne gegen den Computer an (Abbildung 4.6b H–J). Das Spielen dient für sie damit der individuellen Unterhaltung und nicht als sozialer Treffpunkt (Abbildung 4.6b K–L).

4.3.2 Konzept zur Integration der Spielmechaniken

Basierend auf den Ergebnissen des vorherigen Abschnitts zur Identifikation bevorzugter Spielmechaniken der adressierten Spielertypen, sollen in diesem Abschnitt konkrete Konzepte zu deren Integration in die gamifizierte Lernanwendung vorgestellt werden. Dazu werden im folgenden einzelne Spielmechaniken vorgestellt, welche die Bevorzugung der Spielertypen «Social Achiever» und «Explorer» unterstützen. Die vorgestellten Spielmechaniken sollen dann sowohl bei der Konzeption des User Interfaces der Lernanwendung als auch im späteren Verlauf der Realisierung berücksichtigt werden.

Quizform

In der Approbationsordnung für Ärzte ist nach § 28 zur Gestaltung der schriftlichen Prüfungen [182] in der medizinischen Ausbildung definiert, dass eine Wissensüberprüfung in Form eines Antwort-Wahl-Verfahrens (oder Multiple-Choice Aufgaben) durchgeführt wird. In Anlehnung daran soll die Wissensüberprüfung in der gamifizierten Lernanwendung in Form eines Quiz umgesetzt werden. Diese Form der Wissensabfrage nutzen unter anderem auch die in Abschnitt 1.3 vorgestellten Anwendungen *Duolingo* beim Sprachenlernen oder *BioDigital* zum Thema der menschlichen Anatomie.

Eine korrekte Antwort soll in der Lernanwendung belohnt werden (siehe Mechanik Erfahrungspunkte) und bei einer falsch beantworteten Frage soll dem Spielenden die korrekte Antwort präsentiert werden. Dadurch soll den Spielenden die Möglichkeit gegeben werden, aus gemachten Fehlern zu lernen. Durch Wiederholung der Wissensabfrage soll das in der Vorlesung vermittelte Wissen vertieft und angewendet werden können.

Die Wissensabfrage kann von einem einzelnen Spielenden durchgeführt werden. Die Beantwortung der Fragen zielt jeweils auf die Angabe einer bestimmten anatomischen Struktur ab. Die Antwort auf eine Frage kann daher durch Berührung der entsprechenden Struktur gegeben werden und ist damit mithilfe der interaktiven Wirbelsäule als Eingabegerät möglich. In Abschnitt 1.3.3 wurde dazu analysiert, dass ein *TUI* ein kollaboratives Interagieren mit einem System beziehungsweise das kollaborative Lernen unterstützt. Es existiert kein expliziter Mehrspieler-Modus, allerdings kann durch den Einsatz der interaktiven Wirbelsäule als *TUI* das Quiz auch gemeinschaftlich absolviert werden, indem mehrere Studierende gleichzeitig mit der Lernanwendung interagieren.

Das Absolvieren eines Quiz soll innerhalb eines kurzen Zeitraums von wenigen Minuten möglich sein. Dies soll die Nutzung der Lernanwendung unter Anderem für die Persona Lukas attraktiver gestalten, der gerne ein bis zwei Lernsektionen in kurzer Zeit zum Ausklang des Tages abschließt.

Unterstützung «Social Achiever»:

• Durch die Wissensabfrage und dem Feedback bezüglich inkorrekter Antworten kann neues Wissens aufgebaut werden (Abbildung 4.6a E).

• Ein Mehrspielermodus kann das Spielen als soziale Handlung und das Knüpfen von neuen Bekanntschaften unter Kommilitonen unterstützen (Abbildung 4.6a A, B).

Unterstützung «Explorer»:

• Die Wissensabfrage in Quizform kann alleine durchgeführt werden, indem Spielende vom Computer gestellte Fragen beantworten (Abbildung 4.6b H, I, J, K).

Erfahrungspunktesystem und visuelle Weiterentwicklung
Durch die korrekte Beantwortung von Fragen beziehungsweise beim Absolvieren eines Quiz, soll der Spielende Erfahrungspunkte erhalten. Die Erfahrungspunkte werden dem verwendeten Spielerprofil zugeordnet und repräsentieren damit den Spielerfortschritt in Zahlenform.

Um den Spielerfortschritt zusätzlich zu visualisieren, verändert sich ein dem Spielenden zugeordneter Avatar abhängig der erreichten Erfahrungspunkte. Dieses Konzept wird unter anderem in Spielen wie *Pokémon* unterstützt, bei dem die steigende Erfahrung und die damit einhergehende Erhöhung der Kampfstärke einer Kreatur zu einer Veränderung der Gestalt führt (Abbildung 4.7). Dieser visuelle Fortschritt soll dem Spielenden ein belohnendes Feedback bezüglich der eigenen Weiterentwicklung im Spiel liefern [183].

Abbildung 4.7 Visualisierung des Spielerfortschritts in der Videospiel-Reihe *Pokémon*. Bilder von *Pokémon* Wiki [184]

Das Erreichen und Erhöhen solcher Punktestände (oder Scores), welche im Lernspiel durch die Anzahl der erhaltenen Erfahrungspunkte dargestellt ist, kann nach Kapp zudem eine soziale Interaktion unter den Spielenden wecken. Diese umfasst die Diskussion über das Spiel und die dort erreichten Ziele [15]. Sie kann damit ein kompetitives Verhalten fördern beziehungsweise die Motivation schaffen, ein Spiel wieder und wieder zu spielen, um mit der Leistung der anderen Spielenden mithalten zu können [15].

Unterstützung «Social Achiever»:

- Der Spielende kann durch das wiederholte Absolvieren der Wissensabfragen beziehungsweise des Quiz Erfahrungspunkte sammeln, welche den Spielfortschritt darstellen (Abbildung 4.6a I).
- Nach Erreichen einer bestimmten Menge von Erfahrungspunkten verändert sich zudem ein zugeordneter Avatar, welcher eine visuelle Weiterentwicklung entsprechend des Spielfortschritts repräsentiert (Abbildung 4.6a I).
- Bei der Erhöhung der Erfahrungspunkte gibt es keine Limits. Das Spiel soll so konzipiert sein, dass weitere Veränderungen des Avatars hinzugefügt werden können (Abbildung 4.6a F).
- Der Erfahrungspunktestand bietet unter Studierenden eine Vergleichbarkeit der Leistungen im Spiel und kann damit einen motivierenden Wettstreit fördern (Abbildung 4.6a K).

Unterstützung «Explorer»:

- keine identifizierte Unterstützung

Levelsystem

Aus der Anforderungsanalyse ging hervor, dass Lerninhalte in übersichtliche Einheiten strukturiert werden sollen (siehe Tabelle 2.7 Ziel 2.1). Des Weiteren geht daraus hervor, dass die Lernanwendung um weitere Themenbereiche beziehungsweise andere Systeme der menschlichen Anatomie erweiterbar sein soll (siehe Tabelle 2.7 Ziel 3.1). Diese sollen daher innerhalb des Lernspiels in mehrere Lernkapitel aufgeteilt werden. So soll unter anderem ein Lernkapitel zum Thema Wirbelsäule existieren. Innerhalb dieses Kapitels wird eine Wissensabfrage zu diesem Thema in Form eines Quiz durchgeführt. Weitere Lernkapitel beispielsweise zum Thema Lunge, Herz oder Gehirn sollen hinzugefügt und ebenfalls mit kursbezogenen Fragen gefüllt werden können, die anhand der vermittelten Inhalte aus der Lehrveranstaltung beantwortbar sein sollen.

Alle existierenden Lernkapitel sollen in einer hierarchischen Baumstruktur angeordnet werden. Dadurch soll ein sogenanntes Levelsystem realisiert werden, bei dem durch Abschluss eines Lernkapitels weitere verbundene Lernkapitel freigeschaltet werden. Dieses Konzept wird unter anderem in der Sprachlernanwendung *Duolingo* (siehe Abschnitt 1.3.2) verwendet, um zunächst grundlegende Inhalte zu vermitteln und anschließend komplexere Inhalte anzuknüpfen (siehe Abbildung 4.8). Im Bezug auf die zu entwickelnde Lernanwendung könnte dieser Mechanismus dazu genutzt werden, die Wissensvermittlung analog zum Lehrplan zu steuern.

Des Weiteren soll das Levelsystem Studierenden einen Überblick über bereits abgeschlossene Lernkapitel geben. Ein Lernkapitel soll dann als abgeschlossen gelten, wenn dazu ein Quiz erfolgreich abgeschlossen wurde. Ein abgeschlossenes Kapitel wird dann für Studierende markiert, wodurch die in der Anforderungsanalyse gewünschte Übersicht über bereits erreichte Lernziele bereitgestellt werden soll.

Unterstützung «Social Achiever»:

- Abgeschlossene Kapitel werden markiert und geben dem Spielenden eine Übersicht über bereits abgeschlossene Lernkapitel (Abbildung 4.6a I).

Unterstützung «Explorer»:

- keine identifizierte Unterstützung

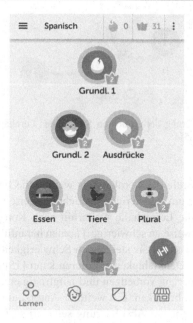

Abbildung 4.8 Hierarchische Anordnung der Lernkapitel in der Lernsoftware *Duolingo* [185]

Steigende Schwierigkeitsstufe

Anknüpfend an den Spielmechanismus des Levelsystems, soll jedes Lernkapitel wiederholt werden können, um das dort abgefragte Wissen weiter vertiefen und gemäß der Theorie von Ebbinghausen durch Wiederholung fundieren zu können [100]. Dabei soll die Schwierigkeitsstufe der Fragestellungen jedoch nicht gleichbleibend sein. Jedes Lernkapitel soll daher ein eigenes Schwierigkeitsstufensystem erhalten. Zunächst sollen Fragen zu den Grundlagen eines Themenkomplexes gestellt werden. Nach erfolgreichem Abschluss einiger Lerneinheiten zu einem Thema der ersten Schwierigkeitsstufe steigt das Lernkapitel auf die nächste Stufe. Dieser Anstieg der Schwierigkeitsstufe soll durch eine Anzeige am Icon zum Starten des entsprechenden Lernkapitels selbst dargestellt werden (siehe Abbildung 4.9a). Das Vorbild bei dieser Designentscheidung ist die in Abschnitt 1.3.2 untersuchte Lernanwendung *Duolingo* (siehe Abschnitt 1.3.2). Zusätzlich soll eine visuelle Veränderung der Hintergrundfarbe dieses Icons vorgenommen werden (siehe Abbildung 4.9b). Dabei soll jeder Stufe eine fest definierte Farbe zugeordnet sein (Beispiel: Basislevel hat immer die Hintergrundfarbe Blau).

Grundl. 1

Abbildung 4.9 Visualisierung der erreichten Stufe eines Lernkapitels in der Sprachlern-
Anwendung *Duolingo* [185]

Nach Aufstieg der Stufe des Lernkapitels werden die Fragen im Quiz zu diesem Themenkomplexes um schwierigere beziehungsweise weiterführende Fragen
erweitert. So werden die Lerninhalte weiterhin nach Komplexität geordnet und
soll Studierende schrittweise an schwierige Themen heranführen. Kapp beschreibt,
dass man mithilfe dieser sukzessiv steigenden Schwierigkeitsstufe den Spielenden
zu einer höherwertigen Denkfähigkeit trainieren kann [15]. So soll ein einfacher
Einstieg einer Überforderung vorbeugen und langfristig eine Transformation vom
Anfänger zum Experten bewirken. Ein weiterer Anreiz, um diesen Effekt zu verstärken und die Motivation zur Absolvierung schwieriger Lernkapitel zu fördern,
ist eine höhere Belohnung in Form von mehr Erfahrungspunkten bei erfolgreichem
Abschluss eines schweren Quiz. Besonders Spielende wie die Persona Jana, welche
eine Herausforderung im Spiel suchen, sollen bei dieser Spielmechanik angesprochen werden, denn durch häufiges Üben und der stetigen Weiterentwicklung können,
größere Ziele erreicht werden.

Unterstützung «Social Achiever»:

- Durch eine Steigerung der Schwierigkeitsstufe wird eine Form der Herausforderung beim Absolvieren von Quizzes geschaffen, welche zudem mit größeren
  Belohnungen honoriert wird (Abbildung 4.6a G, F).
- Die steigende Schwierigkeitsstufe soll beim Spielenden eine stetige Verbesserung der Fähigkeiten bezüglich der Lerninhalte hervorrufen (Abbildung 4.6a J).

Unterstützung «Explorer»:

- keine identifizierte Unterstützung

Lebensenergie

Wie zur Spielmechanik «Quiz» beschrieben, werden den Spielenden falsch beantwortete Fragen erneut gestellt. Dadurch erhalten Spieler:innen die Möglichkeit, sich selbst zu korrigieren. Damit die Beantwortung der Fragen nicht trivial erscheint und das Quiz eine Herausforderung bei der Überprüfung des eigenen Wissens darstellt, wird die Mechanik der Lebensenergie oder Trefferpunkte eingeführt. In vielen kampfbasierten Videospielen dient sie zur Repräsentation des Gesundheitszustands von Charakteren und wird unter anderem als Zahlenwert, in Balkenform oder durch eine Anzahl von Herzsymbolen angegeben. Sobald die Lebensenergie verbraucht ist, gilt ein Spiel als verloren (Abbildung 4.10).

Abbildung 4.10 Darstellung der Lebensenergie in vielen kampfbasierten Videospielen. Jedes gefüllte Herz stellt einen noch verfügbaren Trefferpunkt dar

Dieses Konzept soll auch für das Quiz eingeführt werden. Der Spielende erhält eine bestimmte Anzahl von Trefferpunkten in Form von Herzsymbolen. Jede falsch beantwortete Frage verbraucht dabei einen Trefferpunkt. Sobald keine Herzen mehr zur Verfügung stehen, gilt das Quiz als nicht geschafft. Ein Quiz kann allerdings jederzeit wiederholt werden. Das heißt, es entstehen keine nachhaltigen Konsequenzen für den Spielenden. Die Mechanik soll das Quiz zu einer fairen Herausforderung gestalten. Besonders Spielende wie die Persona Jana, sollen die zu bewältigenden Aufgaben im Spiel dadurch als nicht zu einfach wahrnehmen.

Unterstützung «Social Achiever»:

- Durch die Konsequenz des Verlusts von Lebensenergie bei einer falsch beantworteten Frage soll das Absolvieren eines Quiz herausfordernd gestaltet werden (Abbildung 4.6a G).

Unterstützung «Explorer»:

- keine identifizierte Unterstützung

Streak

Um einen Anreiz zu einem täglichen Lernen zu geben, soll die Spielmechanik einer Gewinnsträhne (oder *Streak*) verwendet werden [186]. Die Gewinnsträhne soll eine Aufzählung der aufeinanderfolgenden Tage sein, an denen erfolgreich ein Quiz abgeschlossen wurde. Der Zahlenwert der Gewinnsträhne wird somit jeden Tag erhöht, wenn der Spielende sich mit den Lerninhalten auseinandersetzt und sein Wissen erfolgreich unter Beweis stellen konnte. Durch diese stetige Erhöhung des *Streaks* soll dessen Wertigkeit oder Bedeutung für den Spielenden stetig wachsen [187]. Die Gewinnsträhne wird zurückgesetzt, wenn die Lernroutine unterbrochen wird. Das kann Spieler:innen dazu motivieren diese tägliche Lernroutine beizubehalten, um diesen Erfolg nicht wieder zu verlieren [187]. Beispielsweise wird die Persona Lukas dadurch unterstützt, die regelmäßige Lerneinheit zum Ausklang des Tages einzuhalten.

Unterstützung «Social Achiever»:

- Die Gewinnsträhne bildet einen Indikator für den Fortschritt des Spielenden im Bezug auf ein routiniertes Lernen. (Abbildung 4.6a I)
- Die Gewinnsträhne kann beliebig weiter erhöht werden. Die Bedeutsamkeit des Erfolgs und ebenso die Schwere des potenziellen Verlusts wird damit sukzessiv erhöht und soll dazu motivieren, regelmäßig weiter zu spielen. (Abbildung 4.6a F)

Unterstützung «Explorer»:

- keine identifizierte Unterstützung

Spielgeschichte und Spielwelt

Mithilfe einer Spielgeschichte (oder *Story*) sollen Spieler:innen verstärkt in das Spielgeschehen mit einbezogen werden, damit neben dem Sammeln von Punkten ein weiterer Anreiz zum Weiterspielen geboten wird. Die Spielgeschichte soll an die Zeichentrickserie «Es war einmal ... das Leben» [188] angelehnt werden. In der Serie werden Zuschauer:innen von anthropomorphen, mikroskopischen Elementen des menschlichen Körpers auf eine Entdeckungsreise durch den Körper geführt. Sprechende Blutkörperchen sowie Bakterien und viele weitere Elemente erklären einzelne Körperprozesse. Gleichermaßen soll ein assistierendes und in Arztbekleidung gehülltes Blutkörperchen den Spieler:innen zur Seite stehen. In jedem Körpersystem, welches zum ersten Mal durch Auswahl des zugehörigen Kapitels aufgerufen wird, erklärt das Blutkörperchen dessen grundlegende Funktionen und das Zusammenwirken mit anderen Körpersystemen. Im Fall der Wirbelsäule soll dabei zunächst die Einteilung der Wirbelsäule in die Abschnitte der Hals-, Brust- und Lendenwirbel vorgestellt werden. Zudem soll die Funktionalität des zentralen Nervensystems erläutert werden, welches an der Wirbelsäule anliegt. Um einen weiteren Bezug zur Spielwelt zu schaffen, werden die einzelnen dargestellten Körpersysteme einem fiktiven Charakter zugeordnet. Der Spielende soll somit vermittelt bekommen, dass er sich auf einer Erkundung im Körper dieses Charakters befindet. Dieser Charakter wird immer dann eingeblendet, um die Funktionalität einzelner Körpersysteme zu beschreiben, indem deren Nutzen in verschiedenen Alltagssituation gezeigt wird. Der Persona Lukas soll dadurch die bevorzugte Exploration einer Spielwelt geboten werden, wenn sie auch nicht der Komplexität der Welt und Geschichte eines mehrteiligen Fantasy-Epos gleichen kann.

Unterstützung «Social Achiever»:

- keine identifizierte Unterstützung

Unterstützung «Explorer»:

- Spielende sollen das Gefühl erhalten, sich als aktive Teilnehmende auf einer Erkundung durch den menschlichen Körper zu befinden. (Abbildung 4.6b A)
- Die Beschreibung der Funktionalität der Körpersysteme anhand von Alltagssituationen bietet die Möglichkeit, eine Spielgeschichte mit dem fiktiven Charakter als Protagonisten zu erzählen. (Abbildung 4.6b B)

Erfolge

Die zuvor beschriebenen Spielmechaniken bilden zusammenwirkend die grundlegenden Spielregeln der Lernanwendung. Eine weitere Spielmechanik, welche nicht im primären Fokus des Spielgeschehens liegt, sind Erfolge (oder Trophäen). Sie treten als Belohnung in Spielen auf, um eine besondere Leistung oder das Erreichen von Meilensteinen zu honorieren. Im Bezug auf das Lernspiel, soll ein Erfolg beispielsweise der Abschluss eines Quiz ohne eine einzige falsch beantwortete Frage sein. Ein weiterer Erfolg soll der Abschluss eines Quiz innerhalb eines als «kurz» definierten Zeitraums sein. Zudem soll das Abschließen eines Kapitels ebenfalls je einen Erfolg erbringen.

Erfolge tragen damit nicht zum Abschließen eines Spiels bei. Sofern das Abschließen des Lernspiels, als das erfolgreiche absolvieren jedes Kapitels definiert wird, so wäre das Erreichen von Erfolgen dabei keine notwendige Handlung. Sie dienen als Feedback an Spieler:innen und ermöglichen einen Überblick über erreichte Ziele und eine Reflektion bezüglich der eigenen Leistung im Spiel. Dieser Belohnungseffekt bei Erhalt eines Erfolgs kann bei Spieler:innen eine Steigerung der intrinsischen Motivation hervorrufen [15]. In diesem Zusammenhang ist es wichtig, das Erreichen von Erfolgen herausfordernd, aber erreichbar zu gestalten [15].

Lucas Blair differenziert Erfolge zwischen den beiden Kategorien «Measurement Achievement» und «Completion Achievement» [15]. Während Completion Achievements lediglich den Abschluss einer Handlung im Spiel belohnen (siehe Abbildung 4.11a), geben Measurement Achievements zudem eine Einsicht darüber, wie gut eine Leistung erbracht wurde (siehe Abbildung 4.11b). Blair empfiehlt daher den vermehrten Einsatz von «Measurement Achievements» zur Verstärkung der intrinsischen Motivation der Spielenden durch Feedback zu einer erbrachten Leistung gegeben. Im Lernspiel soll ein solcher Erfolg beispielsweise durch das fehlerfreie Abschließen eines Quiz erreicht werden. Dies soll zudem dahingehend weitergeführt werden, sodass weitere Erfolge bei mehrfachem fehlerfreien Abschluss von Quizzes erzielt werden können.

Weiterhin wird eine aussagekräftige Benennung von Erfolgen empfohlen, die einen inhärenten Wert des Erfolgs implizieren. Als Beispiel wird dazu ein Erfolg mit dem Titel «Lifesaver» im Videospiel *Deadliest Catch* gegeben, welcher durch das Retten eines Teammitglieds vor dem Ertrinken freigeschaltet wird. Die Bedeutsamkeit wird hier verstärkt, indem beim Spielenden das Gefühl der Vollbringung einer heldenhaften Tat hervorgerufen werden soll [15]. Eine derart epische Benennung der Erfolgstitel wird im angestrebten Lernspiel als herausfordernd erwartet. Dennoch soll diese Empfehlung berücksichtigt werden.

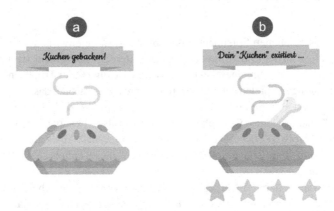

Abbildung 4.11 Gegenüberstellung der von Lucas Blair definierten Kategorien «Completion Achievement» (a) und «Measurement Achievement» (b)

Unterstützung «Social Achiever»:

- Erhaltene Erfolge sind ein weiterer Indikator für erreichte Fortschritte und besondere Leistungen des Spielenden (Abbildung 4.6a I)
- Das Erreichen von Erfolgen soll Spieler:innen herausfordern und zur Erbringung besonderer Leistungen motivieren (Abbildung 4.6a G, F).

Unterstützung «Explorer»:

- keine identifizierte Unterstützung

4.4   User Interface

Das *User Interface* (oder Benutzungsschnittstelle) bezeichnet eine Schnittstelle, welche Nutzenden eine Möglichkeit zur Interaktion mit einer Software oder Hardware bietet. Bezogen auf dieses Projekt umfasst sie damit sowohl die interaktive Wirbelsäule als *TUI* als auch die *GUI* der Lernsoftware.

Im Rahmen dieses Abschnitts wird jeweils ein Konzept zur Gestaltung und Umsetzung dieser beiden Benutzungsschnittstellen präsentiert. Zunächst wird ein Konzept zur Realisierung der interaktiven Wirbelsäule und der geforderten Interaktionsstile (siehe Tabelle 2.7 Ziel 1.1) vorgestellt. Anschließend erfolgt eine Beschreibung der *GUI* im Explorationsmodus der Lernsoftware, welche die Eingaben an der interaktiven Wirbelsäule visualisieren soll. Zuletzt wird das Konzept zur Benutzungsoberfläche innerhalb der gamifizierten Lernanwendung dargelegt. Dazu soll auch verdeutlicht werden, wie sich das *Game-Design* und die in Abschnitt 4.3 ausgewählten Spielmechaniken in der Benutzungsoberfläche widerspiegeln.

Entscheidungen in der Konzeption zur Benutzungsoberfläche werden dabei stets unter Berücksichtigung der resultierenden Anforderungen der Anforderungsanalyse und der technischen Analyse getroffen (siehe Tabelle 2.7, Tabelle 3.8).

4.4.1   TUI: Interaktive Wirbelsäule

Das erste Ziel in der Anforderungsanalyse festgestellte Ziel ist eine Unterstützung zur Restrukturierung der Lehre, welche unter anderem durch die Integration eines interaktiven Lehrmediums möglich werden soll. Mit dessen Hilfe soll eine Umwandlung des Frontalunterrichts zu einer anschaulichen und interaktiven Form der Wissensvermittlung ermöglicht werden. Das interaktive Lehrmedium soll somit als *TUI*

umgesetzt werden und als Eingabegerät für eine zugehörige Lernanwendung dienen, dessen Funktion und Gestaltung in Abschnitt 4.5 und Abschnitt 4.6 näher
beschrieben wird. Dies korrespondiert mit dem aufgestellten Ziel 1.1. in Tabelle
2.7, welches eine Erweiterung der bisher eingesetzten, konventionellen physischen
Wirbelsäule zu einem interaktiven Lehrmedium vorsieht. Im Rahmen der betrachteten Studien im Abschnitt 1.3.3 konnte in diesem Zusammenhang untersucht werden,
dass der Einsatz eines solchen *TUI* im Kontext der Lehre zudem das kollaborative
Lernen unterstützen kann. Dadurch erscheint die Erweiterung des bisher in der
Lehre genutzten Anatomiemodells zu einem interaktiven Lehrmedium als zielfüh-
rende Maßnahme zur Erhöhung der Lehrqualität.

Im folgenden Abschnitt wird das entsprechende Konzept der angestrebten interaktiven Wirbelsäule vorgestellt, welches im weiteren Verlauf der Arbeit als Leitfaden bei der Realisierung des angestrebten Lehrmediums dient. Bei der Erstellung
des Konzepts wurden die jeweils resultierenden Anforderungen der Anforderungsanalyse (siehe Tabelle 2.7) und der technischen Analyse bezüglich der Gestaltung
des Wirbelsäulenmodells als *TUI* (siehe Tabelle 3.8) berücksichtigt. Das Resultat
des Konzepts zur interaktiven Wirbelsäule ist in Abbildung 4.12 dargestellt und
wird im weiteren Verlauf näher beschrieben.

Die geforderten Interaktionsstile umfassen nach den resultierenden Anforderungen einerseits die Selektion von anatomischen Strukturen (siehe Tabelle 3.8 Ziel
1), welche zu einer Hervorhebung der korrespondierenden Strukturen im virtuellen
Abbild innerhalb der Lernanwendung führen soll. Um dies zu ermöglichen, werden
interaktive Oberflächen an den physischen Strukturen des Modells benötigt, was
mithilfe der im Rahmen der technischen Analyse untersuchten leitfähigen Farbe
(siehe Abschnitt 3.1.1) umgesetzt werden kann. Durch das Auftragen der Farbe
auf die einzelnen Strukturen der physischen Wirbelsäule (siehe Abbildung 4.12a)
werden interaktive Oberflächen erzeugt. Mithilfe weiterer leitender Verbindungen
und durch Auftragung leitfähiger Farbe am Modell werden die einzelnen interaktiven Strukturen mit einer Berührungssensorik (siehe Abbildung 4.12c) verbunden.
Diese detektiert die Berührung einer Struktur (siehe Abbildung 4.12b) anhand der
Veränderung der anliegenden elektrischen Kapazität.

Weiterhin sollen Drehbewegungen des Lehrmediums erkannt werden, um das
virtuelle Abbild entsprechend auszurichten. Die Drehbewegung soll mithilfe der
in der technischen Analyse betrachteten Methode der Sensorfusion mithilfe eines
Komplementärfilters umgesetzt werden. Fusioniert werden die Sensorwerte eines
Gyroskops, Magnetometers und Beschleunigungssensor zur Bestimmung der Raumlage (siehe Abbildung 4.12d). Im Rahmen dieser Arbeit soll zunächst ausschließlich
die Bestimmung der Drehbewegung um die Gierachse realisiert werden. Sofern dies
jedoch künftig relevant werden sollte, lässt sich mithilfe der eingesetzten Sensoren

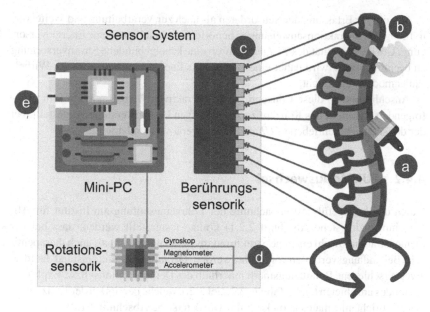

Abbildung 4.12 Konzept zum systemtechnischen Aufbau der interaktiven Wirbelsäule

im Rahmen einer Weiterentwicklung auch eine Drehbewegung um die Roll- und Nickachse bestimmen.

Bevor die erfassten Sensordaten letztendlich zu einer sinnvollen Modifikation des virtuellen Abbilds in der Lernanwendung führen können, müssen diese zunächst ausgewertet werden. Dazu werden die durch die Berührungs- und Rotationssensorik erfassten Messwerte mithilfe einer verarbeitenden Einheit in konkrete Interaktionsanweisungen umgewandelt (siehe Abbildung 4.12e). Diese Aufgabe wird durch einen an der Wirbelsäule angebrachten Mini-PC bearbeitet. Dabei handelt es sich um den Mini-PC RPI 4B des Herstellers RPI, an dem sowohl die Berührungs- als auch Rotationssensorik angeschlossen wird. Eine Interaktionsanweisung, wie die Selektion einer Struktur oder einer Drehbewegung der physischen Wirbelsäule, wird durch den Mini-PC in eine entsprechende Nachricht des zuvor konzipierten Nachrichtenformats (siehe Abschnitt 4.1.2) gefasst und an die Lernanwendung weitervermittelt. Dazu soll das bereits bei Auslieferung am RPI 4B verfügbare Bluetooth-Modul verwendet werden, um eine Direktverbindung zwischen dem interaktiven Lehrmedium und der Lernanwendung zu schaffen.

Sowohl zur Erfassung der Sensordaten als auch zur Verarbeitung und Weitervermittlung von Interaktionsanweisungen benötigen die beteiligten eine Energieversorgung. Um die Mobilität des *TUI* nicht durch eine kabelgebundene Stromversorgung zu beeinträchtigen, wird daher eine Batterie als Energieversorgung an das Wirbelsäulenmodell angebracht.

Anschließend an diese Konzeption zur interaktiven Wirbelsäule wird im nachfolgenden Abschnitt das Konzept zur zugehörigen Lernanwendung vorgestellt, bei der das soeben beschriebene *TUI* als Eingabegerät verwendet wird.

4.4.2   TUI: Moduswechsel

Durch die durchgeführte Beobachtung der Lehrveranstaltung am Institut für Allgemeinmedizin (siehe Abschnitt 2.2.1) konnte festgestellt werden, dass bei der Demonstration sowohl einzelne Strukturen im Detail untersucht als auch therapeutische Behandlungsverfahren vorgeführt werden. Darauf aufbauend entstand die Idee, zwei verschiedene Benutzungsmodi innerhalb des Demonstrations- bzw. Explorationsmodus anzubieten (siehe Tabelle 2.7 Ziel 3.2.), welche bereits bei der Konzeption des Nachrichtenformates berücksichtigt wurden (siehe Abschnitt 4.1.2).

Der Wechsel zwischen diesen Modi soll vom Anwendenden ad hoc verändert werden können, weshalb diese Interaktion ebenfalls am *TUI* selbst und nicht ausschließlich in der Lernanwendung zu verorten ist. Dies ist der Fall, da die anwendende Person für jede Aktion direkt am *TUI* hantiert, jedoch nicht notwendigerweise am dazugehörigen Computersystem. Dazu soll ein Schalter am physischen Wirbelsäulenmodell genutzt werden. Dabei gilt es zu beachten, dass die ausgewählte Position für den Schalter bei der Demonstration oder Exploration nicht versehentlich berührt werden kann. Daher wird der Schalter zum Moduswechsel im verwendeten physischen Modell am Schädelbereich positioniert, wobei theoretisch jeder Bereich genutzt werden könnte, der nicht zur Lerneinheit der Wirbelsäule zählt. In der Evaluation gilt es allerdings zu untersuchen, ob der platzierte Schalter einen störungsfreien Moduswechsel ermöglicht.

4.5   Bildungssoftware: Explorationsmodus

Zur Erfüllung des ersten Ziels der resultierenden Anforderungen aus der Analyse (Tabelle 2.7 Ziel 1.2) ist ein Einsatz multimedialer Inhalte und eine Veranschaulichung der Lehrinhalte gefordert. Zur Umsetzung dieses Ziels wird in diesem Abschnitt ein Konzept für einen Explorationsmodus innerhalb der Lernanwendung vorgestellt. Dieser dedizierte Modus soll Dozierenden bei der anschaulichen Gestaltung der bereits etablierten Demonstrationen in der Lehrveranstaltung (siehe Abschnitt 2.2.1) behilflich sein. Er soll Studierenden ermöglichen, sich mit den Lehrinhalten interaktiv befassen zu können und damit den Lernprozess für Studierende der visuellen und kinästhetischen Lerntypen attraktiver gestalten. Im weiteren Verlauf der Konzeption des Explorationsmodus wird die Benutzung aus der Situation der Dozierenden beschrieben. Die Anwendung durch Studierende kann jedoch analog erfolgen. Der Unterschied bei der Nutzung ist lediglich deren Intention. Während Dozierende das Modell zur Veranschaulichung während der Lehrveranstaltung nutzen, können Studierende abseits der Lehrveranstaltung den Explorationsmodus zum Informationsabruf und zur Erkundung der Lernobjekte nutzen.

Wie in Abschnitt 4.4.1 zur Konzeption des *TUI* beschrieben, werden Nachrichten bezüglich Interaktionen an die Lernanwendung gesendet. Sind die interaktive Wirbelsäule und die Lernanwendung über den Kommunikationskanal miteinander verbunden, kann das virtuelle Abbild durch verschiedene Interaktionen verändert und somit zur Veranschaulichung genutzt werden. Die möglichen Interaktionen umfassen die Selektion und Rotation des *TUI*. Durch eine Selektion einer Struktur wird das korrespondierende 3D-Objekt in der Lernanwendung farblich hervorgehoben (siehe Abbildung 4.13a). Zur Kennzeichnung der selektierten Struktur wird in diesem Zuge ebenfalls die Bezeichnung des Objekts in Form einer Annotation eingeblendet (siehe Abbildung 4.13a).

Um zusätzlich den räumlichen Kontext der fokussierten Struktur zu veranschaulichen, werden anliegende Strukturen ebenfalls farblich hervorgehoben (siehe Abbildung 4.13b). Dies beinhaltet sowohl umliegende knöcherne Strukturen und Ligamente, Teile des zentralen Nervensystems als auch Muskelstrukturen. Letztere sind in Abbildung 4.13 nicht mit dargestellt, um die Anschaulichkeit des Mockups zur geplanten Benutzungsoberfläche nicht zu beeinträchtigen. Dadurch sollen die Zusammenhänge der einzelnen Strukturen verdeutlicht werden, um beispielsweise deren Relationen bei der Vorführung einer therapeutischen Behandlungsmethode zu veranschaulichen.

Des Weiteren wurde bei der Beobachtung deutlich, dass bestimmte Strukturen nur durch eine Veränderung der Perspektive uneingeschränkt und ohne Verdeckung des Sichtfelds inspiziert werden können. Zu diesem Zweck werden Drehbewegungen am physischen Modell gleichermaßen im virtuellen Abbild durchgeführt (siehe Abbildung 4.13c) um damit die Betrachtung aus verschiedenen Blickwinkeln zu ermöglichen. Dabei ist darauf zu achten, dass die Sichtbarkeit der zweidimensionalen Annotationen nicht verloren geht und sich abhängig der Perspektive gegebenenfalls neu ausrichten.

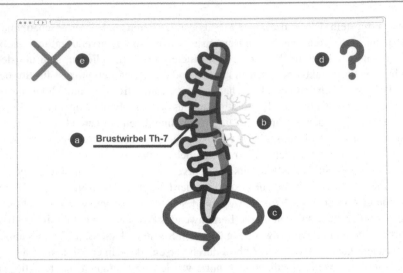

Abbildung 4.13 Mockup zur *GUI* der Bildungssoftware im Explorationsmodus

Die Selektion und Rotation soll dabei auch ohne das *TUI* durch Verwendung einer Computermaus durchgeführt werden können. Des Weiteren sollen die möglichen Interaktionsstile über ein Hilfestellung am Bildschirmrand (siehe Abbildung 4.13d) aufgerufen werden können, um noch unerfahrenen Benutzer:innen die Bedienung der Anwendung zu verdeutlichen. Abschließend soll der Explorationsmodus durch eine weitere Schaltfläche am gegenüberliegenden Bildschirmrand beendet werden können (siehe Abbildung 4.13e). Dadurch können Nutzende wiederum in das Hauptmenü gelangen, um den alternativen Lernmodus (siehe Abschnitt 4.6) aufzurufen oder die Software bei Abschluss der Lernanwendung zu beenden.

4.6   Bildungssoftware: Lernspiel

Zusätzlich zur Exploration eines virtuellen Abbilds anatomischer Systeme soll die Lernanwendung Studierenden ein Werkzeug zur Unterstützung ihres Lernprozesses sein (siehe Tabelle 2.7 Ziel 2). Zur Erfüllung dieser Anforderung sollen Lehrinhalte strukturiert werden (siehe Tabelle 2.7 Ziel 2.1.) sowie eine Erhöhung des Lernengagements beziehungsweise die Motivation zu einer regelmäßigen Lernaktivität hervorgerufen werden (siehe Tabelle 2.7 Ziel 2.3, Ziel 2.4). Letzteres soll durch eine Gamifizierung der Lernanwendung und der damit einhergehenden Integration der in Abschnitt 4.3 definierten Spielmechaniken umgesetzt werden.

4.6.1 Lernkapitelübersicht

Studierende erreichen das Lernspiel über einen dedizierten Nutzungsmodus innerhalb der Lernanwendung. Nach Auswahl des Lernspiels erhalten Studierende eine Übersicht über verfügbare Lernkapitel (siehe Abbildung 4.14). Ein Lernkapitel (siehe Abbildung 4.14a) umfasst thematisch zusammengehörige Informationen zu einem bestimmten anatomischen System, wie beispielsweise der Wirbelsäule. Durch den Aufruf eines Lernkapitels kann eine Lerneinheit in Form eines Quiz gestartet werden, in dem Studierende anhand einer Reihe von Fragen ihr Wissen bezüglich des abgebildeten anatomischen Systems überprüfen können.

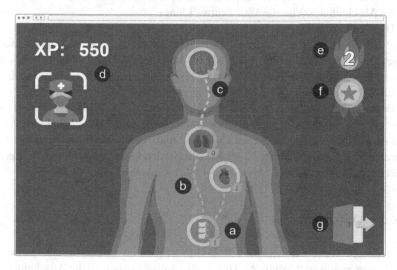

Abbildung 4.14 Mockup zur *GUI* der Bildungssoftware im Lernspiel

Durch wiederholtes Abschließen von Quizzes innerhalb eines Kapitels wird ein Fortschrittsbalken erhöht (siehe Abbildung 4.14a). Wird der Fortschrittsbalken vollständig gefüllt, so erreicht ein Kapitel die nächste Stufe (siehe Abbildung 4.14a). Zudem sollen durch Erreichen der Stufe «1» eines Kapitels anliegende beziehungsweise hierarchisch übergeordnete Kapitel freigeschaltet werden (siehe Abschnitt

4.3, Levelsystem). Diese hierarchische Anordnung wird dabei durch die Pfade zwischen den Kapiteln illustriert (siehe Abbildung 4.14b). Noch nicht freigeschaltete Kapitel sollen durch eine Graustufung der Stufenanzeige markiert sein (Abbildung 4.14c). Jede Erhöhung der Kapitelstufe hat zur Folge, dass die Fragen innerhalb dieses Kapitels erweitert werden. Das bedeutet, dass zunehmend schwierigere Fragen hinzugefügt werden, sodass zunächst Wissen auf einem Anfängerniveau überprüft wird und im weiteren Verlauf eine Abfrage von Expertenwissen erfolgt (siehe Abschnitt 4.3, Steigende Schwierigkeitsstufe).

Jeder erfolgreiche Abschluss eines Quiz bringt dem Studierenden Punkte in Form von Erfahrungspunkten (XP) ein (siehe Abschnitt 4.3, Erfahrungspunktesystem). Je höher die Stufe des Kapitels ist, desto mehr XP können erhalten werden. Zur Visualisierung der insgesamt gesammelten Anzahl von XP dient eine Anzeige des Punktestands (siehe Abbildung 4.14d). Unmittelbar anliegend zur XP Anzeige befindet sich der Avatar des Spielenden, welcher sich durch den Erhalt von Erfahrungspunkten nach Überschreitung bestimmter Schwellenwerte visuell verändert (siehe Abschnitt 4.3, Visuelle Weiterentwicklung).

Die Spielmechanik des *Streaks*, welche die Anzahl der aufeinanderfolgenden Tage mit abgeschlossenen Quizzes zählt, wird ebenfalls in der Kapitelübersicht angezeigt (siehe Abbildung 4.14e). Wie in Abschnitt 4.3 dazu beschrieben, soll diese Mechanik die Motivation zu einem regelmäßigen Lernen beziehungsweise Spielen fördern (Tabelle 2.7 Ziel 2.4.).

Besondere Leistungen des Spielenden, wie beispielsweise das fehlerfreie Abschließen von Quizzes, wird mit Erfolgen belohnt. Diese sollen über eine Auflistung in einem separaten Screen einsehbar sein, welcher über das Symbol des Abzeichens (siehe Abbildung 4.14f) erreicht werden kann. Zuletzt kann das Lernspiel über eine Schaltfläche (Abbildung 4.14g) wieder verlassen werden.

4.6.2 Quizmodus

Nach Auswahl eines Lernkapitels soll ein Quiz aufgerufen werden, in dem Spielende ihr Wissen zu einem bestimmten Thema überprüfen können (siehe Abschnitt 4.3, Quiz). In Abbildung 4.15 ist dazu ein Quiz zum Thema der Wirbelsäule dargestellt. Daher befindet sich auf der linken Seite der Anwendung das virtuelle Modell zu diesem Thema (siehe Abbildung 4.15e). Die spielende Person wird nun zu kursbezogenen Inhalten (Tabelle 2.7 Ziel 3.4.) befragt (siehe Abbildung 4.15c). Die Fragen sollen aus dem von Dozierenden gepflegten Fragenkatalog bezogen werden und dabei so konzipiert sein, dass ihre Beantwortung durch eine Selektion entsprechender anatomischer Strukturen möglich ist. Die Selektion kann, wie in Abschnitt *TUI*

Abschnitt 4.4.1 beschrieben, durch Selektion der physischen Struktur am Modell oder durch eine Interaktion per Computermaus erfolgen und über eine Schaltfläche eingeloggt werden. In der nachfolgenden Abbildung wurde die Frage falsch beantwortet, weshalb im Bereich des Feedbacks (siehe Abbildung 4.15d) eine Auflösung der Frage angezeigt wird. Jede falsch beantwortete Frage reduziert die in Abbildung 4.15a) dargestellte Lebensenergie (siehe Abschnitt 4.3, Lebensenergie). Jede korrekt beantwortete Frage trägt zum Fortschritt innerhalb des Quiz bei, was über einen Fortschrittsbalken visualisiert wird (sieheAbbildung 4.15b).

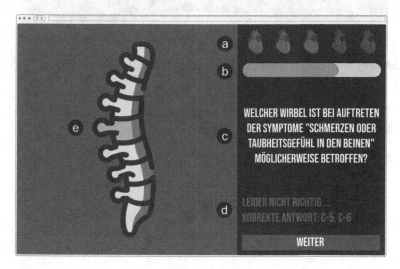

Abbildung 4.15 Mockup zur *GUI* der Bildungssoftware inmitten eines Quiz

Nach erfolgreichem Abschluss eines Quiz erhalten Spielende Feedback zur eigenen Leistung. In einer Übersicht wird angezeigt, wie viel Zeit zur Beantwortung der Fragen benötigt wurde, ob das Quiz fehlerfrei abgeschlossen werden konnte und wie viele Erfahrungspunkte man erhält (siehe Abbildung 4.16). Der besonders schnelle oder fehlerfreie Abschluss trägt zur Erreichung der konzipierten Erfolge bei (siehe Abschnitt 4.3).

Abbildung 4.16 Mockup zum Feedback Screen nach Abschluss eines Quiz

Realisierung 5

Auf Basis der vorangegangenen Konzeption und der impliziten technischen sowie benutzerbezogenen Anforderungen bezüglich der interaktiven Wirbelsäule und der Lernanwendung wurde jeweils ein Prototyp dieser beiden Komponenten umgesetzt. Im Verlauf dieses Kapitels wird dazu jeweils die Umsetzung des *TUI* als interaktive Wirbelsäule sowie der gamifizierten Lernanwendung vorgestellt sowie die Implementierung der Schnittstellen zur Kommunikation der in der verteilten Anwendung beteiligten Komponenten.

Innerhalb dieses Kapitels soll die technische Konstruktion des *TUI* und die unterstützten Benutzerinteraktionen zur Modifikation des virtuellen Abbilds der Wirbelsäule vorgestellt werden. In diesem Zusammenhang wird die Umsetzung der Lernanwendung zur Erkundung der Anatomie als auch des gamifizierten Lernmodus und die dort integrierten Spielmechaniken vorgestellt. Abschließend werden die implementierten Schnittstellen der beteiligten Komponenten vorgestellt sowie die dabei verwendeten Kommunikationstechnologien.

5.1 TUI

Wie in der Konzeption beschrieben, wurde die interaktive Wirbelsäule als *TUI* umgesetzt und kann entsprechend als Eingabegerät für die Lernanwendung verwendet werden. Zur Realisierung der Berührungsinteraktion wurde die leitfähige Farbe «Electric Paint» und der kapazitive Sensor *Pi Cap* des Herstellers *Bare Conductive* verwendet.

Exemplarisch wurde auf den Lendenwirbeln, sowie den dazwischen befindlichen Bandscheiben des physischen Modells jeweils leitfähige Farbe aufgetragen, um dort eine interaktive Oberfläche zu schaffen. Jede dieser Flächen wurde mithilfe eines Kupferdrahts mit einem der zwölf verfügbaren Anschlüsse des *Pi Cap* verbunden,

P. Goldbach, *Entwicklung einer interaktiven Wirbelsäule inklusive gamifizierter Lernanwendung*, BestMasters, https://doi.org/10.1007/978-3-658-42745-0_5

welcher wiederum auf einem *RPI* 4B als verarbeitende Einheit installiert ist (siehe Abbildung 5.1 (Links)).

Eine Berührung der interaktiven Flächen (siehe Abbildung 5.1 (Mitte)) führt zu einem Signal, welches vom *Pi Cap* als Eingabe erkannt wird. Mithilfe eines vom *RPI* ausgeführten Python Skripts, wird eine solche Eingabe als Selektion interpretiert. Daraufhin wird eine entsprechende Selektions-Nachricht (siehe Abschnitt 4.1.2) an die Lernanwendung übertragen, um die entsprechende Struktur in der Lernanwendung hervorzuheben.

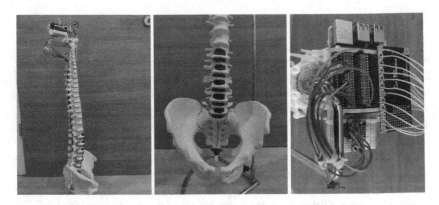

Abbildung 5.1 Übersicht zur Realisierung der interaktiven Wirbelsäule als *TUI*

Zur Erkennung der Rotation des physischen Modells wird die inertiale Messeinheit «BNO055» des Herstellers *Bosch* verwendet [189]. Mithilfe des Sensors wird die Drehung der physischen Wirbelsäule um die Gierachse gemessen. Diese Messdaten werden ebenfalls von einem Python Skript verarbeitet, woraufhin eine entsprechende Rotations-Nachricht (siehe Abschnitt 4.1.2) an die Lernanwendung übertragen wird. Nach dessen Erhalt und Verarbeitung, wird das virtuelle Abbild gleichermaßen rotiert.

Des Weiteren wurde ein Schaltknopf am *TUI* im Schädelbereich des Modells angebracht, um die Rotation der Wirbelsäule in der Lernanwendung zurückzusetzen (siehe Abbildung 5.1 (Rechts)). Dies wird beispielsweise dann notwendig, wenn das physische Modell zur Vorführung oder Nutzung im laufenden Betrieb an eine andere Person übergeben wird. Andernfalls entsteht eine Abweichung zwischen der Ausrichtung der physischen und der virtuellen Wirbelsäule.

Mithilfe eines Kippschalters kann zwischen den Selektionsmodi gewechselt werden (siehe Abschnitt 4.4.2), wodurch ein solcher Wechsel ohne Interaktion mit der *GUI* der Lernanwendung stattfinden kann (siehe Abbildung 5.1 (Rechts)). Bei der Vorführung während der Lehrveranstaltung benötigt die Lernanwendung daher keine Aufmerksamkeit der Dozierenden und kann damit als passive visuelle Unterstützung während der Demonstration genutzt werden.

Alle Interaktionsstile des *TUI* werden auch im Spielmodus der Lernanwendung unterstützt, wodurch es ebenfalls als *Game-Controller* eingesetzt werden kann. Als Fallback kann jedoch jederzeit auf eine Eingabe per Maus und Tastatur gewechselt werden.

5.2 Lernanwendung

Zur Implementierung der Lernanwendung wurde die *Spiel-Engine Unity* als Entwicklungsumgebung verwendet (siehe Abschnitt 3.7). Eine Basiskomponente von *Unity*, welche bei der Implementierung verwendet wird, sind sogenannte *Scenes* (oder Szenen). Eine *Scene* enthält Spielelemente, wie beispielsweise einen protagonistischen Spielcharakter, eine gestaltete Spielwelt aber auch abstraktere Komponenten, welche die Spielregeln bestimmen. Eine *Scene* kann daher auch als *Level* beziehungsweise Spielabschnitt eines Videospiels verstanden werden. Innerhalb der Lernanwendung werden solche Szenen dazu verwendet, um die in der Konzeption erstellten Abschnitte, wie beispielsweise die Lektionsübersicht und das Quiz, zu realisieren.

Die in einer Szene enthaltenen Spielelemente wie beispielsweise der Spielcharakter werden in *Unity* als *GameObjects* bezeichnet. Sie bilden jeweils einen Container für eine Sammlung von Komponenten wie beispielsweise eine Position des Objekts in der Spielwelt, ein Erscheinungsbild, aber auch über programmlogische Skripte, welche beispielsweise die Lebensenergie eines Spielcharakters kontrollieren. Diese werden in der Lernanwendung unter anderem dazu verwendet, um das virtuelle 3D-Modell einer Wirbelsäule in die Spielwelt zu integrieren, sowie den Spielfortschritt zu kontrollieren und Spielregeln bei der Umsetzung des Quiz einzuführen.

Für die Lernanwendung wurden die beiden konzipierten Benutzungsmodi, der Explorations- und der Spielmodus, als separate Szenen realisiert, welche jeweils über das Hauptmenü ausgewählt werden können. Im Folgenden wird die umgesetzte Funktionalität innerhalb der Modi jeweils beschrieben.

5.2.1 Exploration

Die Auswahl des Explorationsmodus führt zu einer Szene, welche ein virtuelles Abbild der physikalischen Wirbelsäule beinhaltet. Zu Beginn werden dort lediglich die gleichen knöchernen Strukturen und Ligamente in digitaler Form angezeigt, die auch am physikalischen Modell vorhanden sind.

Wird am *TUI* eine Selektionseingabe an einer Struktur vorgenommen, wird die entsprechende Struktur im virtuellen Abbild durch eine rote Einfärbung hervorgehoben (siehe Abbildung 5.2). Wie in Abschnitt 4.5 beschrieben, werden anliegende Strukturen, wie Muskelschichten oder Nervenstränge, eingeblendet und durch eine gelbe Einfärbung hervorgehoben (siehe Abbildung 5.2). Der bei der Selektion verwendete Modus wird über ein entsprechendes Icon am Bildschirmrand angezeigt (siehe Abbildung 5.2c). Um zusätzlich den räumlichen Kontext bei der Verortung der anatomischen Strukturen zu veranschaulichen, wird um das gesamte virtuelle Wirbelsäulenmodell eine transparente Hülle eines menschlichen Körpers gesetzt (siehe Abschnitt 4.5).

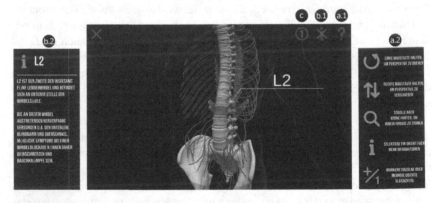

Abbildung 5.2 Übersicht zum realisierten Explorationsmodus zur Erkundung der menschlichen Wirbelsäule

Im Rahmen der beobachteten Lehrveranstaltung wurden Zusatzinformationen über ein bereitgelegtes Lehrbuch zur Verfügung gestellt (siehe Abschnitt 2.2.1). Um ebenfalls Zusatzinformationen zu einer selektierten Struktur bereitzustellen, verfügt die Lernanwendung über ein integriertes Lexikon als *GameObject*. Bei Auswahl einer Struktur wird im Lexikon nachgeschlagen, ob ein Eintrag zu dieser existiert. Ist dies der Fall, so werden am linken Bildschirmrand weiterführende

Informationen zur Funktionalität und dem Zusammenwirken mit anderen Strukturen beschrieben (siehe Abbildung 5.2b.2). Diese Funktion ist jederzeit über die *GUI*
deaktivierbar (siehe Abbildung 5.2b.1). Über die Auswahl der Hilfefunktion kann
eine programminterne Erklärung zu den zuvor beschriebenen Interaktionsmöglichkeiten und Funktionen des Explorationsmodus aufgerufen werden (siehe Abbildung
5.2a.1, a.2).

5.2.2 Lernspiel

Innerhalb des Lernspiels erhalten Spielende in der ersten Szene eine Übersicht über
verfügbare Lernkapitel (siehe Abbildung 5.3). Jedes verfügbare Lernkapitel umfasst
dabei den Themenkomplex eines anatomischen Systems (siehe Abschnitt 4.6), welches über ein entsprechendes Icon (zum Beispiel eine Wirbelsäule) einsehbar ist.

Des Weiteren erhalten Spieler:innen in der Kapitelübersicht eine Einsicht über
die persönlichen Spielfortschritte. Dies umfasst die Anzeige über bereits abgeschlossene Lernkapitel und die aktuelle Stufe des jeweiligen Lernkapitels (siehe
Abbildung 5.3b). Außerdem ist die Anzahl der bisher erreichten Erfahrungspunkte
einsehbar sowie ein korrespondierender Titel und Avatar, welche zur Repräsenta-

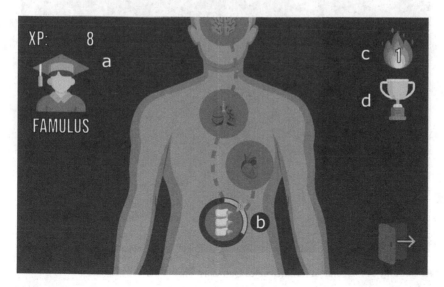

Abbildung 5.3 Übersicht der Kapitelauswahl im Lernspiel

tion des Spielerfortschritts dienen (siehe Abbildung 5.3a). Die Anzeige des Streaks
(siehe Abschnitt 4.3, Streak) ist ebenfalls in der Lektionsübersicht zu finden (siehe
Abbildung 5.3c).

Bei Auswahl eines Lernkapitels erfolgt ein Szenenwechsel und es wird ein Quiz
mit Fragen zum ausgewählten Themenkomplex gestartet. Innerhalb des Quiz wird
ein themenbezogenes 3D-Modell dargestellt (siehe Abbildung 5.4a). Wie im Explorationsmodus können hier einzelne Strukturen selektiert und das gesamte Modell
rotiert werden. Die Interaktion mit dem Modell dient zur Beantwortung der Fragen,
diese erfolgt durch die Auswahl einer oder mehrerer Strukturen (siehe Abbildung
5.4a). Zu jeder beantworteten Frage erhalten Spielende unmittelbar Feedback (siehe
Abbildung 5.4b). Bei einer falschen Antwort wird die richtige Lösung angezeigt;
die Frage wird dann jeweils zum Ende des Quiz wiederholt. Mit jeder falsch beantworteten Frage wird jedoch auch gleichzeitig die Lebensenergie reduziert (siehe
Abbildung 5.4c). Sollte diese dadurch vollständig aufgebraucht werden, gilt das
Quiz als nicht geschafft, es kann aber jederzeit wiederholt werden. Sofern alle Fragen
korrekt beantwortet wurden, erhalten die Spieler:innen Erfahrungspunkte und eventuelle Zusatzbelohnungen bei besonders schnellem oder fehlerfreiem Abschluss des
Quiz.

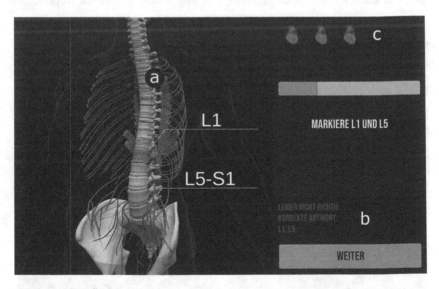

Abbildung 5.4 Übersicht inmitten eines Quiz zum Thema der Wirbelsäule

Die Erreichung solcher Zusatzbelohnungen, das Erreichen einer bestimmten Menge von Erfahrungspunkten sowie das Abschließen von Lernkapiteln werden mit Erfolgen belohnt. Eine Übersicht zu erreichten Erfolgen kann über das Lektionsmenü erreicht werden (siehe Abbildung 5.3d). Dort sind bereits erreichte und noch freischaltbare Erfolge einsehbar (siehe Abbildung 5.5).

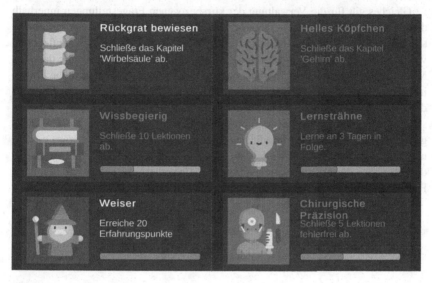

Abbildung 5.5 Übersicht zu erreichten oder noch zu erreichenden Erfolgen im Lernspiel

5.3 Schnittstellen

Entsprechend der Konzeption wird zur Kommunikation zwischen dem *TUI* und der Lernanwendung eine Verbindung per *Bluetooth* Technologie angestrebt. Dies wurde vor allem durch die simplere Einrichtung einer Direktverbindung zwischen den beiden Komponenten begründet (siehe Konzept). Die dazu verwendete Softwarebibliothek zur Erstellung einer *Bluetooth*-Verbindung aus einer *Unity* Anwendung heraus befindet sich jedoch nach wie vor in der Entwicklung mit einer noch nicht vollständigen Dokumentation, weshalb keine zuverlässige *Bluetooth*-Verbindung erzeugt werden konnte [190]. Daher wurde auf eine alternative Kommunikation per *WebSocket* Verbindung zurückgegriffen, mit dem Wissen, dass diese Variante nicht alle gestellten Anforderungen der Analyse erfüllen kann.

Innerhalb der Lernanwendung wurde ein Speichersystem implementiert, welches den aktuellen Spielerfortschritt persistent speichern kann. Die Speicherung der Daten erfolgt aktuell lokal in einem strukturierten und serialisierbaren Format, wodurch sie für eine zukünftige Übertragung über ein Netzwerk vorbereitet sind. Eine Verbindung beziehungsweise Übertragung und Speicherung dieser Daten in *Moodle* wurde jedoch noch nicht umgesetzt.

Gleiches gilt für die Verwaltung der kursbezogenen Fragestellungen innerhalb des Quiz sowie die weiterführenden Informationen zu Strukturen des programminternen Lexikons, welche ebenfalls jeweils in *Moodle* von Dozierenden gepflegt und von dort bezogen werden sollen. Für die Integration der Quizfragen wurde dazu das Modul eines Fragenkatalogs implementiert. Dieser Katalog führt sämtliche Fragen in Form serialisierbarer Objekte zusammen, welche aktuell lokal im Verzeichnis der Lernanwendung angelegt werden können. Dies trifft ebenso auf die Bereitstellung der Einträge des programminternen Lexikons zu, welche mithilfe eines gleichermaßen entwickelten Moduls aus einem lokalen Verzeichnis heraus gesammelt und zusammengeführt werden. Das System ist damit auf eine Anbindung und dem Beziehen dieser Informationen von *Moodle* vorbereitet, sofern das definierte Format dieser serialisierbaren Objekte eingehalten wird.

Evaluation

6

Nach Abschluss der Realisierung des Prototyps der interaktiven Wirbelsäule und der zugehörigen Lernanwendung wurde eine summative Evaluation durchgeführt. Diese teilte sich in einen Usability Test zur Überprüfung der Gebrauchstauglichkeit der Bildungstechnologie und einen Akzeptanztest zur Überprüfung des Nutzens im Lehr- und Lernprozess aus Sicht von Dozierenden und Studierenden. Das Evaluationsdesign und die Ergebnisse der jeweiligen Untersuchung werden in diesem Kapitel näher beschrieben.

6.1 Evaluationsdesign

Im Rahmen des Usability Tests wurde untersucht, ob das Interaktionsdesign der interaktiven Wirbelsäule sowie die Bedienung der Lernanwendung mit seinen zwei Modi, dem Explorations- und Spielmodus, für den Einsatz in der Lehre als gebrauchstauglich eingestuft wird. Zu diesem Zweck wurden Probanden beziehungsweise Usability Expert:innen akquiriert.

In Form einer heuristischen Evaluation nach Nielsen [191] wurden subjektiv wahrgenommene Interaktions- und Designprobleme sowie gut gestaltete Designlösungen am entwickelten Prototypen aufgedeckt. Die heuristische Evaluation war dabei so gestaltet, dass die Interaktion mit dem System an vorgegebene

Ergänzende Information Die elektronische Version dieses Kapitels enthält Zusatzmaterial, auf das über folgenden Link zugegriffen werden kann https://doi.org/10.1007/978-3-658-42745-0_6.

Szenarien beziehungsweise Aufgaben geknüpft war, welche durch die Probanden bewältigt werden sollen. Diese umfassten die Interaktion mit der interaktiven Wirbelsäule sowie der grafischen Benutzeroberfläche sowohl im Explorations- als auch Spielmodus der Lernanwendung (siehe Anhang II im elektronischen Zusatzmaterial).

Des Weiteren wurde innerhalb einer Akzeptanzstudie untersucht, ob Dozierende und Studierende die Bildungstechnologie als förderlich für den Einsatz in der Lehre ansehen. In diesem Zusammenhang wurde den Probanden ebenfalls der entwickelte Prototyp bereitgestellt, um die Bedienung an der interaktiven Wirbelsäule als auch die Lernanwendung kennenzulernen. Gleichermaßen zum Usability Test wurde diese Phase der Evaluation an die Bewältigung vorgegebener Aufgaben geknüpft, welche mithilfe der interaktiven Wirbelsäule und der Lernanwendung zu lösen waren.

Daran anknüpfend konnten Proband:innen ihre Einschätzung bezüglich des Nutzens der Bildungstechnologie für die Lehre und den individuellen Lernprozess von Studierenden in Form einer schriftlichen und anonymen Meinungsumfrage abgeben. Diese war dabei so konzipiert, dass einer Aussage bezüglich des Nutzens der Lernanwendung anhand einer fünf-stufigen Likert-Skala mehr oder weniger zugestimmt werden konnte ($--$: nicht zutreffend, $-$: eher nicht zutreffend, 0: neutral, +: eher zutreffend, ++: voll zutreffend). Neben dieser Form der Bewertung einzelner Funktionen der interaktiven Wirbelsäule und der Lernanwendung wurde ebenfalls nach Verbesserungsvorschlägen sowie weiteren gewünschten Funktionen gefragt (siehe Anhang III im elektronischen Zusatzmaterial).

6.2   Evaluationsergebnisse

In diesem Abschnitt sollen die erfassten Ergebnisse der beiden durchgeführten Evaluationen, des Usability Test und der Akzeptanzstudie, vorgestellt werden. Bei der Vorstellung der Ergebnisse des Usability Tests werden die am häufigsten genannten Kritiken bezüglich der Interaktion und Gebrauchstauglichkeit der Bildungstechnologie vorgestellt.

Die Ergebnisse der Akzeptanzstudie werden, wie im Evaluationsdesign erwähnt, nach den Rollen der Dozierenden und Studierenden differenziert. Dabei wird jeweils die Einschätzung dieser beiden Benutzergruppen bezüglich des Nutzens der Bildungstechnologie auf Grundlage der durchgeführten Meinungsumfrage präsentiert und miteinander verglichen.

Im Rahmen der beiden Evaluationen wurden sowohl Verbesserungsvorschläge als auch Ideen zur Erweiterung der Bildungstechnologie genannt, welche zur Weiterentwicklung der Bildungstechnologie und entsprechenden Anpassung auf die Bedarfe der Benutzer:innen beitragen können (siehe Anhang IV, V im elektronischen Zusatzmaterial). Einige der in der Evaluation hervorgegangenen Ideen zur Erweiterung werden im Ausblick dieser Arbeit thematisiert.

6.2.1   Usability Test

Beim Usability Test wurde durch mehrere Usability Expert:innen (N = 8) jeweils eine Kritik bezüglich der Interaktion mit der Bildungstechnologie dokumentiert. Sowohl subjektiv wahrgenommene Probleme als auch als positiv befundene Designlösungen bei der Interaktion am *TUI* selbst oder der *GUI* der Bildungssoftware wurden anhand der zehn Heuristiken nach Nielsen [191] kategorisiert und von den Proband:innen schriftlich festgehalten. Zudem haben Proband:innen zu einigen der identifizierten Problemen konstruktive Verbesserungsvorschläge angegeben, welche in einer Weiterentwicklung der Bildungssoftware berücksichtigt werden können. Anschließend wurden die Evaluationsergebnisse ausgewertet, indem genannte Aspekte nach Häufigkeit der Nennung (n) sortiert wurden. Im Folgenden werden daher die am häufigsten genannten positiven als auch negativen Kritiken vorgestellt werden.

Präzision bei Mausinteraktionen

Ein häufig genanntes Problem war die mangelnde Präzision bei der Selektion von Strukturen mit der Computermaus (n = 6). Der Mauscursor wurde beim Test über einer selektierbaren Struktur positioniert. Dennoch kam es bei einigen Proband:innen vor, dass beim anschließenden Mausklick eine nicht gewünschte Struktur hervorgehoben wurde.

In einer nachfolgenden Diagnose der Lernanwendung konnte eine Abweichung zwischen dem angezeigten Mauscursor-Symbol (Cursor) und der tatsächlichen Mauscursor-Position (Hotspot) identifiziert werden, welche zum genannten Fehlverhalten führte. Die Abweichung des Cursors und des Hotspot ist in Abbildung 6.1 dargestellt.

(a) Hoher Zoomfaktor   (b) Geringer Zoomfaktor

Abbildung 6.1 Visualisierung der Abweichung zwischen dem Cursor (weißer Pfeil) und Hotspot (roter Kreis). Jeweils links ist die Abweichung vor der Fehlerkorrektur angezeigt, sowie jeweils rechts die Abweichung nach der Fehlerkorrektur. Die Abweichung verstärkt sich bei Verringerung des Zoomfaktors (Vergleich a und b)

Je weiter sich die Perspektive durch Herauszoomen der Kamera vom 3D-Modell entfernte, desto gravierender war die Abweichung der beiden Position und desto häufiger trat das Fehlverhalten bei der Interaktion auf. Anknüpfend an die Evaluation konnte dieser Fehler durch die programminterne Anpassung des Hotspots beseitigt werden.

Spielmodus

Bei Aufruf des Lernspiels erhält man als Spieler:in eine Übersicht über einzelne Level (siehe Abschnitt 4.3). Einige der Usability Expert:innen merkten dabei an, dass das zu Beginn einzige freigeschaltete Level nicht im Fokus liegt, sondern erst durch ein Scrollen innerhalb der Levelübersicht sichtbar wird (n = 4).

Ebenfalls zum Spielmodus beziehungsweise im Quiz selbst wurde von mehreren Probanden angemerkt, dass bei einer falsch beantworteten Frage die korrekte Antwort zwar in Textform angegeben wird, diese jedoch auch im 3D-Modell selbst hervorgehoben werden sollte (n = 4). In diesem Zusammenhang wurde zudem kritisiert, dass nach einer falsch beantworteten Frage noch immer Strukturen am Modell ausgewählt werden können (n = 4). Dies hatte für einige Proband:innen den Anschein, als könne die Antwort noch korrigiert werden. Daher wurde eine Sperrung der Selektionsinteraktionen empfohlen, um diesem Effekt vorzubeugen.

Zudem wünschten sich die Proband:innen eine Schaltfläche zum Zurücksetzen der getätigten Selektionen im Spielmodus analog zu der entsprechenden Schaltfläche im Erkundungsmodus (n = 4). Darüber hinaus wurde angemerkt, dass bei Fragen mit nur einer einzelnen Struktur als korrekte Antwort auch nur eine zur gleichen Zeit ausgewählt werden können sollte (n = 2).

Erkundungsmodus

Im Erkundungsmodus wurde angemerkt, dass eingeblendete Beschriftungen (Label) zu Strukturen sich überlappen, wenn sich die selektierten Strukturen in unmittelbarer Nähe befinden (n = 3). Hierzu wurde die alternierende Positionierung der Label auf der linken und rechten Seite des 3D-Modells als Verbesserungsvorschlag genannt (Abbildung 6.2).

Einige weitere Probleme bei der Interaktion, wie die Sensibilität bei Rotation und Verschiebung der Perspektive (n = 2), ein in manchen Situationen auftretendes Zittern der Kamera bei der Rotation (n = 2) oder die unterschiedliche Verwendung von Symbolen für Schaltflächen zum Verlassen des aktuellen Modus (n = 2) wurden genannt. Diese und einige weitere Probleme sind im Rahmen des Usability Tests genannt worden und sollen in einer Weiterentwicklung berücksichtigt werden.

Bedienung und Erscheinungsbild

Insgesamt waren die Rückmeldungen zur Interaktion mit der entwickelten Bildungstechnologie jedoch auch von positivem Feedback geprägt. Dazu wurde unter anderem die schnelle Reaktion der Lernsoftware auf getätigte Interaktionen am *TUI* bei Selektions- und Rotationsinteraktionen genannt (n = 2). Ebenfalls die Interaktion betreffend wurde die Konsistenz der Bedienung beziehungsweise der möglichen Interaktionen im Erkundungs- und Spielmodus benannt (n = 2). Auch wirkte die minimalistische Gestaltung der Lernsoftware auf einige Probanden ansprechend

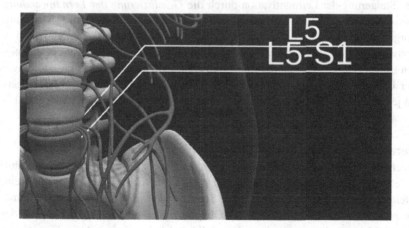

Abbildung 6.2 Label zur selektierten Strukturen überlappen sich, sofern die Strukturen unmittelbar aneinander liegen

(n = 3) sowie konsistent im Erscheinungsbild zwischen den beiden verfügbaren Modi (n = 2). Die Bedienung der Software wurde als leicht verständlich bewertet, da die Hilfeoption alle wichtigen Interaktionen auf einen Blick zur Verfügung stellt um unerfahrenen Benutzer:innen einen unkomplizierten Einsteig zu ermöglichen (n = 2).

6.2.2 Akzeptanzstudie

Mithilfe der Akzeptanzstudie wurde eine Einschätzung bezüglich des Nutzens der Bildungstechnologie für den Lehr- und Lernprozess durch die Befragung von Teilnehmern der medizinischen Lehre (N = 11) an der *UzL* eingeholt. Im Rahmen der Anforderungsanalyse konnte festgestellt werden, dass die beiden Benutzergruppen unterschiedliche Ziele in der Lehre verfolgen und entsprechend abweichende Bedarfe und Anforderungen an die zu entwickelnde Bildungstechnologie stellen können (siehe Abschnitt 2.3). Um die Unterschiedlichkeit der Einschätzung und Interessen aufzeigen zu können, werden die Ergebnisse der Akzeptanzstudie daher nach den Benutzergruppen Dozierende (D = 6) und Studierende (S = 5) differenziert vorgestellt und miteinander verglichen.

Die Fragen des Evaluationsbogens zur Akzeptanzstudie zielten auf die Einschätzung der Probanden bezüglich der *Veranschaulichung der Lehrinhalte*, der Förderung des *Multimedialen Lernens* durch die Bildungstechnologie ab, sowie der Steigerung der Lernmotivation durch die *Gamifizierung der Lernanwendung*. Dementsprechend wurde im Fragebogen eine Einteilung in diese drei Abschnitte vorgenommen, weshalb diese Strukturierung bei der folgenden Vorstellung der Evaluationsergebnisse wiederverwendet wird. Im Folgenden werden nur die relevantesten Ergebnisse der Akzeptanzstudie vorgestellt, weshalb nicht alle Fragestellungen der Umfrage präsentiert werden. Eine vollständige Ausführung des Fragebogens ist jedoch im Anhang dieser Arbeit zu finden (siehe Anhang III im elektronischen Zusatzmaterial).

Veranschaulichung und Nachvollziehbarkeit

Nach Einschätzung der Proband:innen kann der Einsatz der interaktiven Wirbelsäule eine Steigerung der Interaktivität im Lehr- und Lernprozess hervorrufen sowie eine Steigerung der Aufmerksamkeit unter Studierenden im Vorlesungskontext erreichen (+: d = 4, s = 1; ++: d = 2, s = 4). Gleichermaßen schätzen beide Gruppen den Lernerfolg beim Einsatz der interaktiven Wirbelsäule höher als beim Einsatz herkömmlicher Anatomiemodelle ein (+: d = 4; ++: d = 1, s = 5). Dies wird mit einem gesteigerten Interesse aufgrund der Technologisierung des Lehrmediums sowie dem haptischen Lernprozess und dem Einsatz abwechslungsreicher Medien begründet. Zudem vermuten beide Gruppen eine Steigerung des kollaborativen Lernens mit dem Lehrmedium (+: d = 3, s = 3; ++: d = 2, s = 2) mit der Bedingung, dass es auch außerhalb der Lehrveranstaltung für Studierende zur Verfügung steht.

Des Weiteren wurde danach gefragt, ob die Anzeige umliegender Strukturen, wie Muskulatur und Nervenstränge, zu einer selektierten Struktur die Zusammenhänge des Körpersystems nachvollziehbarer gestaltet. Hierbei lag eine schwache Übereinstimmung der Benutzergruppen vor (siehe Abbildung 6.3).

Dozierende stimmten dieser Aussage zu einem geringen Anteil teilweise nicht zu oder wünschten sich mehr Informationen zu den eingeblendeten umliegenden Strukturen (−: d = 1, 0: d = 1, +:d = 4). Studierende wiederum empfanden die Funktion als nützlich (+: s = 3, ++: s = 2) und gaben an, dass es für sie eine Unterstützung bei der Verortung von Strukturen darstellt und dabei hilft, die direkten Zusammenhänge, wie beispielsweise die Innervation von Muskeln, zu verstehen. Beide Gruppen gaben jedoch an, dass der Nutzen dieser Funktion dadurch gesteigert werden kann, wenn explizit festgelegt werden kann welche weiteren Strukturen angezeigt werden, wie beispielsweise ausschließlich die anliegende Muskulatur zu einem selektierten Wirbel.

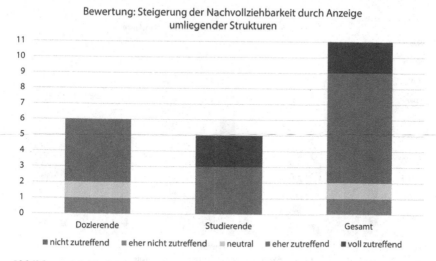

Abbildung 6.3 Evaluationsergebnis bezüglich des Nutzens zur Anzeige des räumlichen Kontexts einer selektierten Struktur

Multimediales Lernen

Beide Benutzergruppen stimmten zu, dass die Wissensvermittlung, gestützt durch
die interaktive Wirbelsäule und dem Einsatz unterschiedlicher und interaktiver
Medien einen positiven Einfluss auf den Lernerfolg der Studierenden hat im Vergleich zum Lernen ausschließlich mit Text und Bild (+: d = 4; ++: d = 2, s = 5).
Zudem schätzten beide Benutzergruppen die optionale Einblendung von zusätzlichen Informationen (siehe Abschnitt 5.2.1) zu einer selektierten Struktur als lernförderlich ein. Dies wurde damit begründet, dass dies langwieriges Nachschlagen im
Anatomie-Lehrbuch ersetzen kann sowie eine Strukturierung weiterer Informationen ermöglicht. Zudem bietet diese Funktion in den Augen der Proband:innen die
Grundlage zur Erweiterung um weitere Medien, welche in einem Lehrbuch nicht
integrierbar sind, wie beispielsweise Videomaterial oder Kreuzreferenzen zu weiteren 3D Modellen. In diesem Zusammenhang wurden die Proband:innen ebenfalls
befragt, welche weiteren Informationen oder Medien sie sich für die Informationsleiste (siehe Abschnitt 5.2.1) wünschen würden. Die entsprechenden Ergebnisse
dazu sind in Abbildung 6.4 dargestellt.

   In der Abbildung ist zu erkennen, dass der Wunsch nach weiteren Elementen,
als lediglich Textbeschreibungen, sehr ausgeprägt ist. Studierende wünschen sich
hierzu verstärkt den Einsatz von Videomaterial, beispielsweise zu diagnostischen

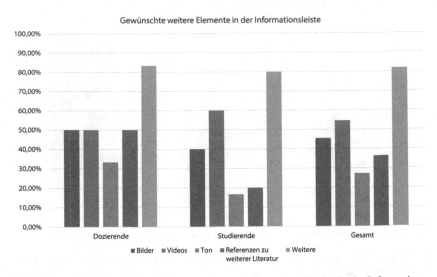

Abbildung 6.4 Evaluationsergebnis zu weiteren gewünschten Medien in der Informationsleiste des Explorationsmodus

Tests, bei denen die selektierte Struktur im Fokus steht. Über 80% der Teilnehmer hatten mindestens eine weitere Idee als die angegebenen Optionen zur Erweiterung der Informationsleiste. Dazu zählt unter anderem eine Auflistung angrenzender Strukturen, sortiert nach Strukturtyp wie beispielsweise Muskulatur, Nerven, oder Ligamenten. Ähnlich dazu wurde eine Strukturierung weiterführender Informationen, ähnlich eines Inhaltsverzeichnisses, genannt. Inspiration dafür war die für Mediziner:innen und Medizinstudierende verfügbare Wissens-App *Amboss*. Diese dient als Nachschlagewerk für medizinische Fragen und liefert Informationen zu Pathologien sowie Diagnostik- und Therapiemöglichkeiten [192]. Analog dazu wurde ebenfalls die Erweiterungsidee genannt, zu einer selektierten Struktur die Involviertheit bei bestimmten Pathologien auflisten zu können oder wie sich bestimmte Strukturen im Krankheitsverlauf verändern, wie beispielsweise Bandscheiben bei einem Bandscheibenvorfall oder bei einer Wirbelsäulenverkrümmung. Die Fülle an Erweiterungsideen lässt vermuten, dass eine Weiterentwicklung in Form eines *User-Centered Design*-Prozess und in interdisziplinärer Form unabdingbar ist, um den unterschiedlichen Bedarfen der Benutzergruppen gerecht werden zu können.

Gamification

Alle Probanden (d = 6, s = 5) sind sich darüber einig, dass durch den Einsatz der gamifizierten Lernanwendung eine regelmäßige Lernroutine unter Studierenden etabliert werden kann. Die Begründung dafür war der Prozess des spielerischen Lernens, die Motivation durch das Sammeln von Punkten und Abzeichen, sowie die positive Verbindung zum Lernen mittels unterhaltender Spielelemente. Wie in Abbildung 6.5 dargestellt, stießen die in der Konzeption ausgewählten *Gaming-Elemente* und Spielmechaniken (siehe Abschnitt 4.3) überwiegend auf positive Resonanz (jeweils >80% Bevorzugung).

Die am schwächsten bewerteten *Gaming-Elemente*, die Soundeffekte und Erfahrungspunkte, hatten jeweils zwei Gegenstimmen. Diese wurden damit begründet, dass die Soundeffekte nicht aktiv wahrgenommen wurden. Bezüglich der Erfahrungspunkte wurde aus der Gruppe der Studierenden die Befürchtung angemerkt, dass dadurch ein zu kompetitives Verhalten unter Studierenden gefördert werden kann.

Wie in Abbildung 6.6 dargestellt, wurde die Strukturierung der Lehrinhalte in nach Körpersystemen sortierte Kapitel überwiegend als sinnvolle Lösung angesehen. Unter Dozierenden bestand jedoch der Wunsch, dass die verfügbaren Kapitel oder Level individuell an Lehrpläne angepasst werden können.

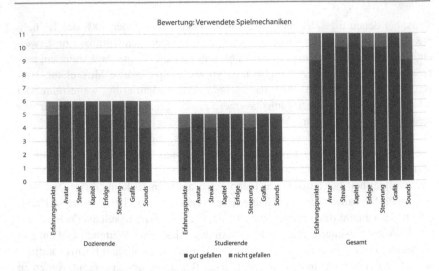

Abbildung 6.5 Evaluationsergebnis bezüglich der Bewertung der in der Lernsoftware eingesetzten *Gaming-Elemente* und Spielmechaniken

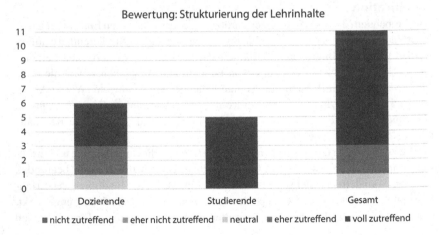

Abbildung 6.6 Evaluationsergebnis bezüglich der Strukturierung der Lehrinhalte in diverse Lernkapitel

Als Beispiel wurde eine Anlehnung an den 100-Tage Lernplan zur Vorbereitung auf das zweite Staatsexamen von Mediziner:innen genannt, welcher ebenfalls in der *Amboss*-App zur Verfügung steht. Studierende begründeten das positive Feedback zur Strukturierung der Lehrinhalte damit, dass hierdurch mehr Übersichtlichkeit geschaffen wird und die Gefahr des unnachhaltigen, kurzzeitigen Auswendiglernens von Fakten (*Bulimielernen*) reduziert werden kann.

Insgesamt erhielt die gamifizierte Lernanwendung von beiden Benutzergruppen überwiegend positive Rückmeldung bezüglich unterhaltender, motivierender und lernförderlicher Effekte im Lernprozess (siehe Abbildung 6.7).

Sowohl dieses Feedback als auch die positiven Rückmeldungen zu den eingesetzten Spielelementen lassen vermuten, dass die Auswahl der Spielmechaniken beziehungsweise die Abstimmung auf die in Abschnitt 2.4 identifizierten Spielertypen nach dem Modell von Van Gaalen eine hilfreiche Orientierung bei der Gestaltung des Lernspiels war.

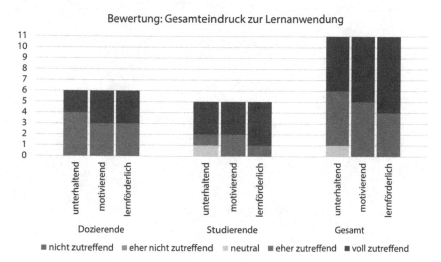

Abbildung 6.7 Evaluationsergebnis zur Einschätzung der Lernanwendung bezüglich unterhaltender, motivierender und lernförderlicher Effekte

Diskussion

Das realisierte prototypische System der interaktiven Wirbelsäule weist verschiedene Potenziale auf, um den Lehr- und Lehrprozess zu unterstützen. Gleichzeitig unterliegt der Prototyp noch einigen Einschränkungen, wodurch er die Bedarfe der Nutzer:innen, welche erst im Rahmen der Evaluationsphasen aufgedeckt werden konnten, noch nicht vollständig abdeckt. Diese Potenziale und Einschränkungen sollen in diesem Kapitel vorgestellt und diskutiert werden.

Eines der analysierten Probleme von Studierenden ist der sporadische oder auch stetige Verlust der akademischen Motivation (siehe Abschnitt 2.3) beziehungsweise des Lernengagements. Dieser Effekt kann durch die Überforderung, bezogen auf die überwältigende Anzahl zu erlernender Fakten, weiter verstärkt werden (siehe Abschnitt 2.3). Im Rahmen der Akzeptanzstudie wurde durch die Proband:innen bestätigt, dass die entwickelte gamifizierte Lernanwendung als motivationsfördernd, unterhaltend und lernförderlich eingestuft wird. Hierbei gilt es weiterhin zu untersuchen, ob diese motivationssteigernden Effekte eine langfristige Wirkung im Lernprozess von Studierenden haben können oder aufgrund der Unkonventionalität des umgestalteten Lernprozesses lediglich auf kurzzeitige positive Resonanz stößt.

Nichtsdestotrotz wird im Bezug auf die Lernanwendung der Effekt des *Continuous Learning* durch Proband:innen bestätigt. Diese bestätigen, dass sie sich die Etablierung einer Lernroutine aufgrund der ausgewählten Spielmechaniken, wie insbesondere der Lernsträhne und dem Sammeln von Erfahrungspunkten, vorstellen können.

Außerdem wird die Strukturierung der Lehrinhalte in Form der auswählbaren Lernkapitel als hilfreich bewertet, um eine bessere Übersicht über die hohe Anzahl an zu erlernenden Themen zu erhalten. Es besteht in diesem Zusammenhang jedoch die Anforderung, die Strukturierung der Lehrinhalte an Lehrpläne anpassen zu können sowie das abgefragte Wissen, in Form der gestellten Quizfragen, durch Dozierende verwaltbar zu gestalten. Hierbei ist die Anforderung, die Eintragung und

P. Goldbach, *Entwicklung einer interaktiven Wirbelsäule inklusive gamifizierter Lernanwendung*, BestMasters, https://doi.org/10.1007/978-3-658-42745-0

Pflege der Quizfragen über das Lernmanagementsystem *Moodle* zu ermöglichen. Dies ist im aktuellen Stand des Systems zwar auf Seiten der Lernanwendung vorbereitet, allerdings ist noch keine softwareseitige Anbindung an *Moodle* implementiert, wodurch diese Anforderung noch nicht erfüllt werden konnte.

Zudem wird die multimediale Präsentation der Lehrinhalte im Vergleich zu Texten und statischen Grafiken als nachvollziehbarer eingestuft und wird von den Proband:innen als interessensfördernd wahrgenommen. Ergänzend dazu wird der Bedarf von Studierenden nach mehr Interaktion im Vorlesungskontext berücksichtigt. Diesbezüglich bestätigen die Proband:innen der Benutzergruppe der Dozierenden, dass sie sich eine Steigerung der Aufmerksamkeit unter Studierenden bei der Vorführung mit der interaktiven Wirbelsäule vorstellen können.

Des Weiteren wird die Interaktion mit dem entwickelten Wirbelsäulenmodell und die so ermöglichte haptische Exploration der Anatomie als unterhaltend und interessant beschrieben. Studierende sowie Dozierende können sich vorstellen, dass bei Bereitstellung der interaktiven Wirbelsäule auch außerhalb der Vorlesungen, ein kollaborativer Lernprozess unter Studierenden entstehen kann, indem sie die Lehrinhalte gemeinsam erkunden, darüber diskutieren oder ihr Wissen im Lernspiel gemeinsam erproben.

Zudem wird der Effekt des *Kumulativen Lernens* durch die Proband:innen bestätigt. Diese schildern, dass sie aufgrund der Anzeige umliegender Strukturen im digitalen 3D-Modell deren Zusammenhänge besser nachvollziehen können. Ebenso wird es als Hilfe bei der Verortung von Strukturen wahrgenommen. Der Effekt des *Kumulativen Lernens* kann eventuell jedoch noch verstärkt werden, wenn bei einer Selektion weitere, verknüpfte Strukturen in der Informationsleiste angezeigt würden, beispielsweise sortiert nach Typ «Muskel», «Nerven», und so weiter. Auch könnte die Involviertheit der Struktur bei bestimmten Pathologien aufgezeigt werden. Laut Aussagen der Proband:innen könnten dadurch im Rahmen der Lehre zu klinischen Untersuchungen die Wechselwirkungen von Strukturen und Zusammenhänge von Symptomen verständlicher vermittelt werden. Ein genanntes Beispiel dafür ist die Pathologie des Bandscheibenvorfalls. Durch Veränderung der Bandscheibenposition kann das Bandscheibengewebe auf einen Nerv im Bereich des Rückenmarks drücken. Je nachdem, welche Muskulatur von diesem innerviert wird, können Schmerzen oder ein Taubheitsgefühl in bestimmten Extremitäten entstehen. Derartige Reaktionsketten können nach Aussage der Proband:innen durch die Möglichkeit der Untersuchung des räumlichen Kontexts besser nachvollzogen werden.

Die große Anzahl der Erweiterungsideen lässt eine hohe Akzeptanz der entwickelten Bildungstechnologie vermuten. Jedoch gibt diese auch Aufschluss darüber, dass eine Weiterentwicklung des Systems in Form eines *User-Centered Design-*

Prozesses unabdingbar ist, um vollständig die Bedarfe aller potenziellen Nutzenden decken zu können.

Des Weiteren ist eine größer angelegte Studie notwendig, um letztendlich die Lernförderlichkeit der Bildungstechnologie zu bestätigen. Durch die Ergebnisse der durchgeführten Studie wird lediglich eine Tendenz zu den motivations- und lernfördernden Effekte des interaktiven Anatomiemodells sichtbar. Jedoch beruhen die Ergebnisse auf den subjektiven Meinungen und prognostizierten Einschätzungen der Proband:innen, nicht jedoch auf einer empirischen Datenerhebung mit objektiven Messergebnissen. Daher wird eine vollumfängliche Studie über wenigstens ein gesamtes Semester empfohlen, um die Steigerung des Lernerfolgs beispielsweise im Rahmen einer standardisierten AB-Studie zu erfassen. Über den Studienzeitraum sollte eine Probandengruppe die Gestaltung der Vorlesung gestützt durch die interaktive Wirbelsäule erfahren und diese auch außerhalb von Vorlesungen als Lernunterstützung zur Verfügung gestellt bekommen. Die Kontrollgruppe erfährt die Lehre wie zuvor mit Nutzung des konventionellen Anatomiemodells. Anschließend könnte durch Abgleich der Leistungen, beispielsweise in Form der Prüfungsergebnisse, untersucht werden, ob eine Signifikanz bezüglich des Lernerfolgs feststellbar ist. Hierbei wird jedoch zunächst die Erweiterung der Bildungstechnologie um die obigen Bedarfe der Nutzer:innen empfohlen, mit besonderem Augenmerk auf ein gebrauchstaugliches Interaktionsdesign für den Lehr- und Lernprozess.

Ausblick

Die Zielsetzung dieser Arbeit ist mit der Konzeption, Realisierung und Evaluation der entwickelten Bildungstechnologie sowie der Untersuchung der Gebrauchstauglichkeit des *TUI* und der Lernanwendung als auch der Akzeptanz, diese im Lehr- und Lernkontext einzusetzen, erreicht. Aufgrund der Modularisierung der Hardware- und Softwarekomponenten im Entwicklungsprozess verfügt die entwickelte Bildungstechnologie über großes Potential für vielfältige Erweiterungen. In diesem Abschnitt sollen daher einige Ideen und Ansätze zur Weiterentwicklung vorgestellt werden, welche aus der Evaluationsauswertung und der hochschulinternen Präsentation der interaktiven Wirbelsäule resultierten.

Erweiterung um mehr Modelle
Die der Lernanwendung zugrunde liegende Programmlogik ist bereits auf eine Erweiterung um weitere digitale Modelle vorbereitet. Sowohl für den Explorations- als auch den Spielmodus können weitere Szenen beziehungsweise Level hinzugefügt werden. Auch die Anbindung weiterer interaktiver physischer Modelle ist softwareseitig vorbereitet.

Ein- und Ausblenden von Strukturschichten
Bei Selektion einer oder mehrerer Strukturen wird die daran anliegende Muskulatur sowie Nervenstränge im digitalen Modell mit abgebildet. Im Rahmen der Evaluation entstand die Anforderung, dass die Benutzer:innen entscheiden dürfen sollen, welche Strukturschichten angezeigt werden und welche ausgeblendet bleiben. So könnte in bestimmten Szenarien beispielsweise nur das Anzeigen der anliegenden Muskulatur gewünscht sein.

Sprachsteuerung
Um das Präsentieren an der Wirbelsäule oder einem anderen Körpersystem zu erleichtern, könnte das Ein- und Ausblenden von Strukturen mithilfe einer

P. Goldbach, *Entwicklung einer interaktiven Wirbelsäule inklusive gamifizierter Lernanwendung*, BestMasters, https://doi.org/10.1007/978-3-658-42745-0

Sprachsteuerung umgesetzt werden. Dadurch wäre kein Wechsel zwischen der Interaktion mit der *GUI* und dem Modell während der Vorführung mehr notwendig.

Fokus selektierter Strukturen
Bei der Selektion eines einzelnen Objekts soll der Kamerafokus automatisch auf dieses gelenkt werden, damit Dozierende oder Studierende nicht manuell eine Kameraausrichtung in der Bildungssoftware vornehmen müssen.

Animierte Bewegungsabläufe
Im Fachbereich der Physiologie entstand der Wunsch, dass das 3D-Modell um Animationen erweitert wird, um bestimmte Bewegungsabläufe und das Zusammenwirken anatomischer Strukturen zu verdeutlichen. Beispielsweise könnte die Streckung oder Beugung der Wirbelsäule damit veranschaulicht werden. Derartige animierte Abläufe könnten beispielsweise über die Zusatzinformationen innerhalb der *GUI* aufgerufen werden.

Hervorhebung von Strukturen am physischen Modell
Bei Selektion einer Struktur innerhalb der Lernanwendung könnte die entsprechende physische Struktur optisch hervorgehoben werden, beispielsweise durch das Aufleuchten einer LED. Dies würde im Rahmen der Wissensüberprüfung im Quizmodus die Möglichkeit eröffnen, die korrekte Struktur am physischen Modell beispielsweise durch das Aufleuchten einer grünen LED kenntlich zu machen und die falsch selektierte Struktur rötlich aufleuchten zu lassen. Dadurch wird das Feedback bei der Interaktion im Lernprozess und auch bei der Vorführung verstärkt. Dies bedarf jedoch der Erweiterung auf eine bidirektionale Kommunikationsverbindung zwischen der interaktiven Wirbelsäule und der Lernanwendung.

Erweiterung der Übungsszenarien
Mithilfe weiterer Sensorik könnte die physische Verformung der interaktiven Wirbelsäule erfasst werden. Im Bezug auf das Körpersystem der Wirbelsäule könnten so neue Übungsszenarien entstehen. Beispielsweise könnte nach der Verformung des Wirbelsäulenmodells gefragt werden, passend zu bestimmten Krankheitsbildern, wie beispielsweise einer Skoliose (Wirbelsäulenverkrümmung). Eine hierauf basierende, weitere Entwicklungsmöglichkeit wäre die autonome Verformung des *TUI* passend zu einem Krankheitsbild mithilfe eines eingebetteten Motorsystems. Die Aufgabe der Studierenden wäre dann das Stellen der korrekten Diagnose zum justierten Krankheitsbild. Dies würde weiterhin das Lernen durch Ausprobieren und damit Studierende des kinästhetischen Lerntyps unterstützen.

Weitere Unterstützung der Spielertypen
Einige der durch die Spielertypen bevorzugten Spielmechaniken (siehe Abbildung 4.6a, Abbildung 4.6b) wurden bei der Realisierung der in Abschnitt 4.3 konzipierten Spielmechaniken nicht vollends berücksichtigt. Zu Lasten der Unterstützung des Spielertyps «Explorer» umfasst dies vor allem die Umsetzung einer Spielgeschichte und die Einbettung des Spielgeschehens in eine atmosphärische Spielwelt. Dies ist vornehmlich dem Zeitmangel für das Verfassen einer immersiven Spielgeschichte geschuldet. Zudem erfordert auch die Gestaltung einer atmosphärischen Spielwelt einerseits Erfahrung im Bereich des Spieldesigns und zudem die Erschaffung oder Sammlung aufeinander abgestimmter 3D-Objekte, um einen einheitlichen Grafikstil zu gewährleisten [193]. Da diese Phasen bei der Entwicklung des Spieldesigns mit einem hohen Zeitaufwand verbunden sind [193], konnte deren Umsetzung nicht im Rahmen dieser Arbeit gestemmt werden, beides soll jedoch in einer Weiterentwicklung berücksichtigt werden.

Anbindung an Lehrinfrastruktur (*Moodle*)
Im aktuellen Entwicklungszustand des Prototyps werden die Informationen des programminternen Lexikons und auch die kursbezogenen Quizfragen aus einem lokalen Verzeichnis der Lernanwendung bezogen. Durch die Implementierung einer Schnittstelle der Lernanwendung an die in der Lehrinfrastruktur der *UzL* eingesetzte Lernplattform *Moodle* könnten diese Informationen von einer zentralen Instanz aus bezogen werden. Durch das Einpflegen kursbezogener Inhalte in einen entsprechenden *Moodle*-Kurs durch Dozierende könnte gewährleistet werden, dass die präsentierten Lehrinhalte stets aktuell und über alle Instanzen der Lernanwendung einheitlich sind.

Miniaturisierung der Technologie
Der verwendete Mini-PC benötigt aufgrund seiner Bauform insgesamt circa 80 cm^3 Volumen bei der Anbringung an die interaktive Wirbelsäule. Aufgrund der geringen Rechenlast der verarbeitenden Komponente, entstand die Vermutung, dass auch ein Mikrocontroller mit *WiFi*- oder *Bluetooth*-Schnittstelle als verarbeitende Einheit ausreichen kann. Der Mikrocontroller «ESP-32» beispielsweise benötigt ein Volumen von circa 1 cm^3, was eine Verkleinerung der zentralen Komponente um das 80-fache bedeuten würde. Dadurch wird eine Einbettung der verwendeten Technik in die interaktive Wirbelsäule eine denkbare Option, was zu einer noch störungsfreieren Handhabung führen könnte. Ob die Rechenleistung eines Mikrocontrollers tatsächlich ausreicht, um Sensordaten zu verarbeiten und in gleicher Frequenz zu übertragen, muss jedoch näher untersucht werden.

Zusammenfassung

Das übergeordnete Ziel dieser Arbeit war die Implementierung einer prototypischen Bildungstechnologie in Form einer interaktiven Wirbelsäule inklusive einer gamifizierten Lernanwendung. Zweck dieser Bildungstechnologie ist die multimediale Präsentation von Lehrinhalten und eine Steigerung der Interaktion im Kontext der universitären Lehre und auch der Lernmotivation von Studierenden. Die Erreichung des Ziels wurde in Teilschritten, bestehend aus Analyse, Konzeption, Realisierung und abschließender Evaluation, erarbeitet. Dazu wurden drei Forschungsfragen festgelegt, die im Rahmen dieser Arbeit beantwortet werden sollten.

F1 Wie kann ein interaktives Lehrmedium in Form eines technologisierten, plastischen Modells den Wissenstransfer bei der Vermittlung eines komplexen Sachverhalts im Kontext der menschlichen Anatomie verstärken?

F2 Welchen Einflüssen unterliegt der Verlust der akademischen Motivation von Studierenden und inwiefern kann diesem mithilfe einer unterstützenden Lernanwendung entgegengewirkt werden?

F3 Welche positiven Einflüsse auf den Lernprozess können durch die Gamifizierung einer Lernanwendung erreicht werden?

Die Analysephase war dabei wegweisend für das weitere Vorgehen und wurde nach der Vorgehensweise von Preim und Dachselt zur Entwicklung interaktiver Systeme durchgeführt. In Anlehnung an dieses Verfahren, begann die erste Phase mit einer initialen Aufgabenanalyse (siehe Abschnitt 2.1), um die aktuellen Problemstellungen im Bereich der medizinischen Lehre zu identifizieren (siehe Abschnitt 2.1.1) und initiale Lösungsansätze zu entwerfen (siehe Abschnitt 2.1.2). Diese Analyse lieferte Erkenntnisse zur Beantwortung der zweiten Forschungsfrage, nämlich zum Thema des Verlusts der akademischen Motivation (siehe F2). Denn es konnte

P. Goldbach, *Entwicklung einer interaktiven Wirbelsäule inklusive gamifizierter Lernanwendung*, BestMasters, https://doi.org/10.1007/978-3-658-42745-0

herausgearbeitet werden, dass dem Wunsch vieler Studierender nach einer interakti-
veren Lehrgestaltung nicht nachgegangen wird und zudem die Potenziale der multimedialen und modellgestützten Informationsvermittlung nicht ausreichend genutzt
werden. Manche komplexe Themenbereiche können so nicht ausreichend nachvollzogen werden, was bei Studierenden zu Demotivation beim Lernprozess führen
kann.

Nach Klärung der Problemstellungen im aktuellen Lehrparadigma der universitären Lehre wurde eine vertiefte Aufgabenanalyse in Form von Interviews und
Beobachtungen durchgeführt, um die Potenziale der angestrebten Bildungstechnologie für die Lehre im Bereich der Anatomie zu ermitteln (siehe Abschnitt 2.2).
Auf dessen Basis sowie der identifizierten Bedarfe der Dozierenden und Studierenden konnten Anforderungen an die zu entwickelnde Bildungstechnologie in Form
eines interaktiven Lehrmediums gestellt werden, wodurch bereits erste Anregungen
zur Beantwortung der ersten Forschungsfrage entstanden (siehe F1). Anschließend
erfolgte in Abschnitt 2.3 eine Benutzeranalyse zur Identifikation der potenziellen
Anwender:innen und eine Einteilung in Benutzergruppen nach ihren Merkmalen
und Motivationen zur Nutzung des interaktiven Systems. Darauf basierend erfolgte
eine Spielertypenanalyse (siehe Abschnitt 2.4) zur Identifikation der Arten von
Spieler:innen unter den möglichen Benutzer:innen. Weiterhin wurde ermittelt, welche Spielmechaniken diese bevorzugen, um diese anschließend für die Inhalte der
gamifizierten Anwendung zu nutzen.

Dieser vorherige Analyseteil nach Preim und Dachselt resultierte in von Benut-
zer:innen an die Anwendung gestellte Anforderungen (siehe Abschnitt 2.7). Diese
wurden in Kapitel 3 durch die anschließende technische Analyse um konkrete Hard-
und Software Anforderungen ergänzt. Neben der Definition der beteiligten Komponenten für die verteilte Anwendung (siehe Abschnitt 3.1), wurden in diesem
Kapitel verschiedene Kommunikationstechnologien zu deren Interkommunikation
betrachtet (siehe Abschnitt 3.2). Des Weiteren wurden zur Verfügung stehende
Spiel-Engines zur Entwicklung der gamifizierten Anwendung verglichen (siehe
Abschnitt 3.7).

Aus den Erkenntnissen der Analyse wurde ein fundiertes Konzept für die Realisierung der interaktiven Wirbelsäule sowie der gamifizierten Lernanwendung entwickelt. Dieses Konzept wurde den in der Aufgabenanalyse aufgestellten benutzerbezogenen Anforderungen (siehe Tabelle 2.7) und technischen Anforderungen
(siehe Tabelle 3.8) gerecht. Auf Grundlage dieser Anforderungen resultierte eine
für die verteilte Anwendung geeignete Systemarchitektur (siehe Abschnitt 4.1).
Zudem wurde an dieser Stelle ein anforderungsbezogenes Interaktionsdesign der
interaktiven Wirbelsäule sowie der *GUI* der Lernanwendung (siehe Abschnitt 4.4)
definiert und auch das *Game-Design* des integrierten Lernspiels wurde festgelegt

(siehe Abschnitt 4.3). Anhand des aufgestellten Konzepts wurden sowohl das *TUI* als auch die gamifizierte Lernsoftware implementiert (siehe Kapitel 5). Dabei inbegriffen war sowohl die sensorische Erfassung von Interaktionen am *TUI* als auch die Datenübertragung an die Lernanwendung sowie der darin befindliche Visualisierung des digitalen Wirbelsäulen-Modells (siehe Abschnitt 5.1, 5.2).

Anschließend erfolgte eine heuristische Evaluation zur Untersuchung der Gebrauchstauglichkeit der Bildungstechnologie (siehe Abschnitt 6.2.1). Diese resultierte mit konstruktiven Verbesserungsvorschläge zur Erhöhung der Gebrauchstauglichkeit der Bildungstechnologie. Darüber hinaus wurde im Rahmen einer Akzeptanzstudie mit Dozierenden und Studierenden der Nutzen im Kontext der Lehre und des Lernprozesses untersucht. Die entsprechenden Evaluationsergebnisse gaben dabei Aufschlüsse zur Beantwortung der ersten und dritten Forschungsfrage (siehe F1, F3).

Dabei wurde festgestellt, dass die Interaktion mit einem haptischen Anatomiemodell und die Unterstützung durch eine virtuelle Repräsentation viele Potenziale zur Steigerung des Verständnisses sowohl zu einzelnen Bestandteilen eines Körpersystems als auch zum Zusammenwirken verschiedener Strukturen bietet. Die evaluierte gamifizierte Lernanwendung wurde von Studierenden als unterhaltend, motivationssteigernd und lernförderlich eingestuft und bietet damit ebenfalls eine Möglichkeit dem Verlust der akademischen Motivation entgegen zu wirken. Zudem äußerten die Proband:innen, dass sie sich aufgrund der implementierten, verschiedenen Spielelemente die Etablierung einer Lernroutine vorstellen können. Dies könnte somit unterstützen unnachhaltigen und stressbehafteten Lernverfahren, wie dem kurzzeitigen Auswendiglernen von Fakten, entgegenzuwirken. Neben diesem positiven Feedback bezüglich des Nutzens des entwickelten Systems wurden bereits in kürzester Zeit zahlreiche Erweiterungsideen gesammelt, um weitere Bedarfe der Nutzergruppen abdecken zu können.

Auf diesen Ergebnissen aufbauend erfolgte ein Ausblick zu Erweiterungs- und Verbesserungsmöglichkeiten, auf die in Kapitel 8 exemplarisch näher eingegangen wurde. Dort wurden viele Möglichkeiten zur Weiterentwicklung des entwickelten interaktiven Systems vorgestellt, die weitere Bedarfe, sowohl von Studierenden als auch Dozierenden, im Lehr- und Lernprozess decken können, um die Qualität der medizinische Lehre weiterhin zu verbessern.

Literaturverzeichnis

Veröffentlichungen

[1]   Peter Jarvis und Stella Parker, Hrsg. *Human learning: an holistic approach*. OCLC: ocn141380180. London: Routledge, 2007. 226 S. ISBN: 978-0-415-34098-4978-0-415-43218-4978-0-203-46332-1.

[2]   David A Cook und Anthony R Artino Jr. „Motivation to learn: an overview of contemporary theories". In: *Medical Education* 50.10 (2016). _eprint: https://onlinelibrary.wiley.com/doi/pdf/10.1111/medu.13074, S. 997–1014. ISSN: 1365–2923. https://doi.org/10.1111/medu.13074. URL: https://onlinelibrary.wiley.com/doi/abs/10.1111/medu.13074 (besucht am 25. 11. 2022).

[3]   Ulrich Heublein und Robert Schmelzer. „Die Entwicklung der Studienabbruchquoten an den deutschen Hochschulen". In: *Report. Hannover* (2008). URL: https://idw-online.de/en/attachmentdata66127.pdf.

[4]   Helga Graciani Hidajat u. a. „Why I'm Bored in Learning? Exploration of Students' Academic Motivation". In: *International Journal of Instruction* 13.3 (Juli 2020). ERIC Number: EJ1259413, S. 119–136. ISSN: 1694–609X. URL: https://eric.ed.gov/?id=EJ1259413 (besucht am 18. 10. 2022).

[5]   Avelina Roepke u. a. „Vorlesungen heute: eine Studie zum fachkulturellen Zusammenhang zwischen Lehrmethoden in Vorlesungen und Lehransätzen von Dozierenden". In: (1. Juli 2019).

[6]   Carlos Brigas. „Modeling and Simulation in an Educational Context: Teaching and Learning Sciences". In: *Research in Social Sciences and Technology* 4 (1. Okt. 2019), S. 1–12. https://doi.org/10.46303/ressat.04.02.1.

[7]   Richard Stang und Alexandra Becker. *Zukunft Lernwelt Hochschule: Perspektiven und Optionen für eine Neuausrichtung*. Publication Title: Zukunft Lernwelt Hochschule. De Gruyter Saur, 8. Juni 2020. ISBN: 978-3-11-065366-3. https://doi.org/10.1515/9783110653663. URL: https://www.degruyter.com/document/doi/10.1515/9783110653663/html (besucht am 02. 03. 2023).

[8]   Joe Iwanaga u. a. „A review of anatomy education during and after the COVID-19 pandemic: Revisiting traditional and modern methods to achieve future innovation". In: Clinical Anatomy 34.1 (2021). _eprint: https://onlinelibrary.wiley.com/-doi/pdf/10.1002/ca.23655, S. 108–114. ISSN: 1098–2353. https://doi.org/10.1002/ca.23655.

© Der/die Herausgeber bzw. der/die Autor(en), exklusiv lizenziert an Springer Fachmedien Wiesbaden GmbH, ein Teil von Springer Nature 2023
P. Goldbach, *Entwicklung einer interaktiven Wirbelsäule inklusive gamifizierter Lernanwendung*, BestMasters, https://doi.org/10.1007/978-3-658-42745-0

URL: https://onlinelibrary.wiley.com/doi/abs/10.1002/ca.23655 (besucht am 21. 11. 2022).

[9]   Dongmei Cui u. a. „Evaluation of the effectiveness of 3D vascular stereoscopic models in anatomy instruction for first year medical students". In: *Anatomical Sciences Education* 10.1 (2017). _eprint: https://onlinelibrary.wiley.com/-doi/pdf/10.1002/ase. 1626, S. 34–45. ISSN: 1935-9780. https://doi.org/10.1002/ase.1626. URL: https:// onlinelibrary.wiley.com/doi/abs/10.1002/ase.1626 (besucht am 21. 11. 2022).

[10]   David Roy Warriner u. a. „Computer model for the cardiovascular system: development of an e-learning tool for teaching of medical students". In: *BMC Medical Education* 17.1 (21. Nov. 2017), S. 220. ISSN: 1472–6920. https://doi.org/10.1186/s12909-017-1058-1. URL: https://doi.org/10.1186/s12909-017-1058-1 (besucht am 21. 11. 2022).

[11]   C.-H Chien, Chien-Hsu Chen und T.-S Jeng. „An interactive augmented reality system for learning anatomy structure". In: *Proceedings of the International MultiConference of Engineers and Computer Scientists*2010, IMECS 2010 (1. Jan. 2010), S. 370–375.

[12]   Al Januszewski und Michael Molenda, Hrsg. *Educational Technology A Definition with Commentary*. 2nd edition. OCLC: 1178940676. London: Routledge, 2013. ISBN: 978-0-203-05400-0.

[13]   Yanhong Li u. a. „A Meta-Analysis of Tangible Learning Studies from the TEI Conference". In: *Sixteenth International Conference on Tangible, Embedded, and Embodied Interaction*. TEI '22. New York, NY, USA: Association for Computing Machinery, 13. Feb. 2022, S. 1–17. ISBN: 978-1-4503-9147-4. https://doi.org/10.1145/3490149. 3501313. URL: https://doi.org/10.1145/3490149.3501313 (besucht am 30. 03. 2023).

[14]   Patrick Buckley und Elaine Doyle. „Gamification and student motivation". In: *Interactive Learning Environments*24.6 (17. Aug. 2016). Publisher: Routledge _eprint: https://doi.org/10.1080/10494820.2014.964263, S. 1162–1175. ISSN: 1049–4820. https://doi.org/10.1080/10494820.2014.964263. URL: https://doi.org/10.1080/ 10494820.2014.964263 (besucht am 21. 11. 2022).

[15]   Karl M. Kapp. *The gamification of learning and instruction: game-based methods and strategies for training and education*. San Francisco, CA: Pfeiffer, 2012. 302 S. ISBN: 978-1-118-09634-5.

[16]   Manfred Bönsch. *Nachhaltiges Lernen durch Üben und Wiederholen*. 3., unveränd. Aufl. Baltmannsweiler: Schneider-Verl. Hohengehren, 2014. 193 S. ISBN: 978-3-89676-903-9.   ˎ

[17]   Svenja Bedenlier u. a. „Facilitating student engagement through educational technology in higher education: A systematic review in the field of arts and humanities". In: *Australasian Journal of Educational Technology* 36.4 (26. Jan. 2020). Number: 4, S. 126–150. ISSN: 1449-5554. https://doi.org/10.14742/ajet.5477. URL: https://ajet. org.au/index.php/AJET/article/view/5477 (besucht am 23. 11. 2022).

[18]   Melissa Bond und Svenja Bedenlier. „Facilitating Student Engagement through Educational Technology: Towards a Conceptual Framework". In: *Journal of Interactive Media in Education* 2019.1 (2019). Publisher: Institute of Educational Technology, The Open University ERIC Number: EJ1228555. URL: https://eric.ed.gov/?id=EJ1228555 (besucht am 23. 11. 2022).

[19]   Betsy DiSalvo. „Pink Boxes and Chocolate-dipped Broccoli: Bad Game Design Providing Justifications for Reluctant Learners". In: (Feb. 2016). Accepted: 2017-07-

07T18:52:22Z Publisher: Georgia Institute of Technology. URL: https://smartech. gatech.edu/handle/1853/58419 (besucht am 02. 03. 2023).

[20] A. E. J. Van Gaalen u. a. „Identifying Player Types to Tailor Game-Based Learning Design to Learners: Cross-sectional Survey using Q Methodology". In: *JMIR Serious Games* 10.2 (4. Apr. 2022). Company: JMIR Serious Games Distributor: JMIR Serious Games Institution: JMIR Serious Games Label: JMIR Serious Games Publisher: JMIR Publications Inc., Toronto, Canada, e30464. https://doi.org/10.2196/30464. URL: https://games.jmir.org/2022/2/e30464 (besucht am 22. 11. 2022).

[21] Bernhard Preim und Raimund Dachselt. *Interaktive Systeme: Band 2: User Interface Engineering, 3D-Interaktion, Natural User Interfaces*. 2. Aufl. EXamen.press. Berlin: Springer Berlin Heidelberg, 2015. ISBN: 978-3-642-45247-5.

[22] J. Michael Spector. *Handbook of research on educational communications and technology*. 3rd ed. OCLC: 275335963. New York: Lawrence Erlbaum Associates, 2008. ISBN: 978-0-203-88086-9.

[23] Melissa Bond u. a. „Facilitating Student Engagement in Higher Education Through Educational Technology: A Narrative Systematic Review in the Field of Education". In: *Contemporary Issues in Technology and Teacher Education* 20.2 (Juni 2020). Publisher: Society for Information Technology & Teacher Education, S. 315–368. ISSN: 1528–5804. URL: https://www.learntechlib.org/primary/p/208718/ (besucht am 23. 11. 2022).

[24] FUTUREYAN. 5 *Educational Technology Trends in 2021 / Future with eLearning / Digital learning in 2021*. 7. Aug. 2021. URL: https://www.youtube.com/watch? v=xMajRhCYCnQ (besucht am 23. 11. 2022).

[25] Eleni Mangina. „3D learning objects for augmented/virtual reality educational ecosystems". In: *2017 23rd International Conference on Virtual System & Multimedia (VSMM)*. 2017 23rd International Conference on Virtual System & Multimedia (VSMM). ISSN: 2474–1485. Okt. 2017, S. 1–6. https://doi.org/10.1109/VSMM.2017. 8346266.

[26] Jalal Nouri. „The flipped classroom: for active, effective and increased learning - especially for low achievers". In: *International Journal of Educational Technology in Higher Education* 13.1 (24. Aug. 2016), S. 33. ISSN: 2365–9440. https://doi.org/10.1186/ s41239-016-0032-z. URL: https://doi.org/10.1186/s41239-016-0032-z (besucht am 30. 03. 2023).

[27] Ludwig J. Issing und Paul Klimsa, Hrsg. *Information und Lernen mit Multimedia und Internet: Lehrbuch für Studium und Praxis*. 3., vollst. überarb. Aufl. Beltz PVU. Weinheim: Beltz PVU, 2002. 585 S. ISBN: 978-3-621-27449-4.

[28] Michael Kerres. *Mediendidaktik: Konzeption und Entwicklung digitaler Lernangebote*. Publication Title: Mediendidaktik. De Gruyter Oldenbourg, 5. März 2018. ISBN: 978-3-11-045683-7. https://doi.org/10.1515/9783110456837. URL: https:// www.degruyter.com/document/doi/10.1515/9783110456837/html (besucht am 24. 11. 2022).

[29] Robert Z. Zheng und Michael K. Gardner, Hrsg. *Handbook of Research on Serious Games for Educational Applications*: Bearb. von Robert Tennyson. Advances in Game-Based Learning. IGI Global, 2017. ISBN: 978-1-5225-0513-6 978-1-5225-0514-3. https://doi.org/10.4018/978-1-5225-0513-6. URL: http://services.igi-global.com/

resolvedoi/resolve.aspx?https://doi.org/10.4018/978-1-5225-0513-6 (besucht am 30. 03. 2023).

[30]   Sebastian Oberdörfer u. a. „Horst – The teaching frog: learning the anatomy of a frog using tangible AR". In: *Proceedings of the Conference on Mensch und Computer.* MuC'20: Mensch und Computer 2020. Magdeburg Germany: ACM, 6. Sep. 2020, S. 303–307. ISBN: 978-1-4503-7540-5. https://doi.org/10.1145/3404983.3410007. URL: https://dl.acm.org/doi/10.1145/3404983.3410007 (besucht am 24. 11. 2022).

[31]   Hiroshi Ishii und Brygg Ullmer. „Tangible bits: towards seamless interfaces between people, bits and atoms". In: *Proceedings of the ACM SIGCHI Conference on Human factors in computing systems.* CHI97: ACM Conference on Human Factors & Computing Systems. Atlanta Georgia USA: ACM, 27. März 1997, S. 234–241. ISBN: 978-0-89791-802-2. https://doi.org/10.1145/258549.258715. URL: https://dl.acm.org/doi/10.1145/258549.258715 (besucht am 24. 11. 2022).

[32]   Kieler Nachrichten. „Im Schloss hält Magie Einzug". In: (2006). URL: http://www.isnm.de/content/press/2006_08_19_KN_Im_Schloss_haelt_Magie_Einzug. JPG (besucht am 24. 11. 2022).

[33]   Paul Marshall. „Do tangible interfaces enhance learning?" *In: Proceedings of the 1st international conference on Tangible and embedded interaction.* TEI '07. New York, NY, USA: Association for Computing Machinery, 15. Feb. 2007, S. 163–170. ISBN: 978-1-59593-619-6. https://doi.org/10.1145/1226969.1227004. URL: https://doi.org/10.1145/1226969.1227004 (besucht am 24. 11. 2022).

[34]   Michael S. Horn, R. Jordan Crouser und Marina U. Bers. „Tangible interaction and learning: the case for a hybrid approach". In: *Personal and Ubiquitous Computing* 16.4 (1. Apr. 2012), S. 379–389. ISSN: 1617–4917. https://doi.org/10.1007/s00779-011-0404-2. URL: https://doi.org/10.1007/s00779-011-0404-2 (besucht am 24. 11. 2022).

[35]   Bertrand Schneider u. a. „Benefits of a Tangible Interface for Collaborative Learning and Interaction". In: *IEEE Transactions on Learning Technologies* 4.3 (Juli 2011). Conference Name: IEEE Transactions on Learning Technologies, S. 222–232. ISSN: 1939–1382. https://doi.org/10.1109/TLT.2010.36.

[36]   Herbert Ginsburg und Sylvia Opper. *Piagets Theorie der geistigen Entwicklung.* Google-Books-ID: ZPUnWRzpZQwC. Klett-Cotta, 1998. 348 S. ISBN: 978-3-608-91909-7.

[37]   Richard E. Mayer. „Multimedia learning". In: *Psychology of Learning and Motivation.* Bd. 41. Academic Press, 1. Jan. 2002, S. 85–139. https://doi.org/10.1016/S0079-7421(02)80005-6. URL: https://www.sciencedirect.com/science/article/pii/S0079742102800056 (besucht am 21. 11. 2022).

[38]   David H. Uttal, Kathryn V. Scudder und Judy S. DeLoache. „Manipulatives as symbols: A new perspective on the use of concrete objects to teach mathematics". In: *Journal of Applied Developmental Psychology* 18.1 (1. Jan. 1997), S. 37–54. ISSN: 0193-3973. https://doi.org/10.1016/S0193-3973(97)90013-7. URL: https://www.sciencedirect.com/science/article/pii/S0193397397900137 (besucht am 24. 11. 2022).

[39]   Douglas H. Clements. „ ‚Concrete' Manipulatives, Concrete Ideas". In: *Contemporary Issues in Early Childhood* 1.1 (1. März 2000). Publisher: SAGE Publications, S. 45–60. ISSN: 1463–9491. https://doi.org/10.2304/ciec.2000.1.1.7. URL: https://doi.org/10.2304/ciec.2000.1.1.7 (besucht am 24. 11. 2022).

[40]   Sebastian Deterding u. a. „Gamification: Using game design elements in nongaming contexts". In: Proceedings of the 2011 Annual Conference Extended Abstracts on Human Factors in Computing Systems. Bd. 66. 1. Jan. 2011, S. 2425–2428. https://doi.org/10.1145/1979742.1979575.

[41]   Juho Hamari. „Gamification". In: The Blackwell Encyclopedia of Sociology. _eprint: https://onlinelibrary.wiley.com/doi/pdf/10.1002/9781405165518.wbeos1321.   John Wiley Sons, Ltd, 2019, S. 1–3. ISBN: 978-1-4051-6551-8. https://doi.org/10.1002/9781405165518.wbeos1321. URL: https://onlinelibrary.wiley.com/doi/abs/10.1002/9781405165518.wbeos1321 (besucht am 25. 11. 2022).

[42]   Pamela L. Travers. Mary Poppins. Hrsg. von Mary Shepard. 8. repr. London: Collins, 1973. 221 S. ISBN: 978-0-00-181101-0.

[43]   Arthur W. Melton. Categories of Human Learning. Google-Books-ID: fzi0BQAAQBAJ. Academic Press, 12. Mai 2014. 373 S. ISBN: 978-1-4832-5837-9.

[44]   J.A. McGeoch. The psychology of human learning. The psychology of human learning. Oxford, England: Longmans, Green, 1942.

[45]   Rikke Toft Nørgård, Claus Toft-Nielsen und Nicola Whitton. „Playful learning in higher education: developing a signature pedagogy". In: International Journal of Play 6.3 (2. Sep. 2017). Publisher: Routledge _eprint: https://doi.org/10.1080/21594937.2017.1382997, S. 272–282. ISSN: 2159–4937. https://doi.org/10.1080/21594937.2017.1382997. URL: https://doi.org/10.1080/21594937.2017.1382997 (besucht am 30. 03. 2023).

[46]   Luis R. Murillo-Zamorano u. a. „Gamification and active learning in higher education: is it possible to match digital society, academia and students' interests?" In: International Journal of Educational Technology in Higher Education 18.1 (17. März 2021), S. 15. ISSN: 2365–9440. https://doi.org/10.1186/s41239-021-00249-y. URL: https://doi.org/10.1186/s41239-021-00249-y (besucht am 25. 11. 2022).

[47]   Luis de-Marcos u. a. „An empirical study comparing gamification and social networking on e-learning". In: Computers & Education 75 (1. Juni 2014), S. 82–91. ISSN: 0360–1315. https://doi.org/10.1016/j.compedu.2014.01.012. URL: https://www.sciencedirect.com/science/article/pii/S036013151400030X (besucht am 25. 11. 2022).

[48]   Adrián Domínguez u. a. „Gamifying learning experiences: Practical implications and outcomes". In: Computers & Education 63 (1. Apr. 2013), S. 380–392. ISSN: 0360–1315. https://doi.org/10.1016/j.compedu.2012.12.020. URL: https://www.sciencedirect.com/science/article/pii/S0360131513000031 (besucht am 25. 11. 2022).

[49]   Vlad Todor und Dan Pitica. „The gamification of the study of electronics in dedicated e-learning platforms". In: Proceedings of the 36th International Spring Seminar on Electronics Technology. Proceedings of the 36th International Spring Seminar on Electronics Technology. ISSN: 2161–2064. Mai 2013, S. 428–431. https://doi.org/10.1109/ISSE.2013.6648287.

[50]   Santiago Pozo Sánchez u. a. „Gamification as a Methodological Complement to Flipped Learning-An Incident Factor in Learning Improvement". In: Multimodal Technologies and Interaction 4.2 (Juni 2020). Number: 2 Publisher: Multidisciplinary Digital Publishing Institute, S. 12. ISSN: 2414–4088. https://doi.org/10.3390/mti4020012. URL: https://www.mdpi.com/2414-4088/4/2/12 (besucht am 25. 11. 2022).

[51]   Marjeta Skapin Rugelj und Jože Rugelj. „Gamification in the study of mathematics for engineering students". In: The 20th SEFI Special Interest Group in Mathematics (2021). Accepted: 2021-12-10T14:19:03Z. SEFI, Aug. 2021, S. 57–62. ISBN: 978-2-87352-022-9. URL: https://tore.tuhh.de/handle/11420/11262 (besucht am 25. 11. 2022).

[52]   Leonard A. Annetta u. a. „Investigating the impact of video games on high school students' engagement and learning about genetics". In: *Computers & Education* 53.1 (1. Aug. 2009), S. 74–85. ISSN: 0360–1315. https://doi.org/10.1016/j.compedu.2008.12.020. URL: https://www.sciencedirect.com/science/article/pii/S0360131509000049 (besucht am 25. 11. 2022).

[53]   Namsoo Shin u. a. „Effects of game technology on elementary student learning in mathematics". In: *British Journal of Educational Technology* 43.4 (2012). _eprint: https://onlinelibrary.wiley.com/doi/pdf/10.1111/j.1467-8535.2011.01197.x, S. 540–560. ISSN: 1467–8535. https://doi.org/10.1111/j.1467-8535.2011.01197.x. URL: https://onlinelibrary.wiley.com/doi/abs/10.1111/j.1467-8535.2011.01197.x (besucht am 25. 11. 2022).

[54]   Thomas F. Nelson Laird und George D. Kuh. „Student Experiences With Information Technology And Their Relationship To Other Aspects Of Student Engagement". In: *Research in Higher Education* 46.2 (1. März 2005), S. 211–233. ISSN: 1573–188X. https://doi.org/10.1007/s11162-004-1600-y. URL: https://doi.org/10.1007/s11162-004-1600-y (besucht am 25. 11. 2022).

[55]   Rula Al-Azawi, Fatma Al-Faliti und Mazin Al-Blushi. „Educational Gamification Vs. Game Based Learning: Comparative Study". In: *International Journal of Innovation, Management and Technology* (2016), S. 131–136. ISSN: 20100248. https://doi.org/10.18178/ijimt.2016.7.4.659. URL: http://www.ijimt.org/index.php?m=content&c=index&a=show&catid=75&id=992 (besucht am 25. 11. 2022).

[56]   Jane McGonigal. *Super better: a revolutionary approach to getting stronger, happier, braver and more resilient.* London: Thorsons, 2015. 466 S. ISBN: 978-0-00-810633-1.

[57]   Garamkhand Surendeleg u. a. „The role of gamification in education-a literature review". In: *Contemporary Engineering Sciences* 7 (2014), S. 1609–1616. ISSN: 13147641. https://doi.org/10.12988/ces.2014.411217. URL: http://www.m-hikari.com/ces/ces2014/ces29-32-2014/411217.html (besucht am 25. 11. 2022).

[58]   Antonina Argo u. a. „Augmented Reality Gamification for Human Anatomy". In: *Games and Learning Alliance.* Hrsg. von Manuel Gentile, Mario Allegra und Heinrich Söbke. Lecture Notes in Computer Science. Cham: Springer International Publishing, 2019, S. 409–413. ISBN: 978-3-030-11548-7. https://doi.org/10.1007/978-3-030-11548-7_38.

[59]   Christina Radcliffe und Helen Lester. „Perceived stress during undergraduate medical training: a qualitative study". In: *Medical Education* 37.1 (Jan. 2003), S. 32–38. ISSN: 0308-0110. https://doi.org/10.1046/j.1365-2923.2003.01405.x.

[60]   Sang Joon Lee und Thomas C. Reeves. „Edgar Dale and the Cone of Experience". In: (1. Jan. 2017). Book Title: Foundations of Learning and Instructional Design Technology. URL: https://pressbooks.pub/lidtfoundations/chapter/edgar-dale-and-the-cone-of-experience/(besucht am 21. 11. 2022).

[61]   Rashmi Datta, KK Upadhyay und CN Jaideep. „Simulation and its role in medical education". In: *Medical Journal Armed Forces India* 68.2 (1. Apr. 2012), S. 167–172.

ISSN: 0377–1237. https://doi.org/10.1016/S0377-1237(12)60040-9. URL: https://www.sciencedirect.com/science/article/pii/S0377123712600409 (besucht am 21. 11. 2022).

[62] Sascha Schams. „Empirische Untersuchung zur Gestaltung von Vorlesungen in der medizinischen Ausbildung". Diss. Ludwig-Maximilians-Universität München, 28. Juni 2005. URL: https://edoc.ub.uni-muenchen.de/3830/ (besucht am 21. 11. 2022).

[63] Janina Maria Häusler. „Unterrichtsqualität fallbasierter Seminare im Medizinstudium. Eine Videostudie". In: (), S. 233. URL: https://mediatum.ub.tum.de/doc/1534138/1534138.pdf.

[64] Frederic Vester. Denken, Lernen, Vergessen: Was geht in unserem Kopf vor, wie lernt das Gehirn, und wann läßt es uns im Stich? 40. Auflage, Aktualisierte Neuausgabe. dtv dtv-Wissen 33045. München: dtv, 2021. 260 S. ISBN: 978-3-423-33045-9.

[65] Josef Schrader. Lerntypen bei Erwachsenen: empirische Analysen zum Lernen und Lehren in der beruflichen Weiterbildung. 2., erg. Aufl. Analysen und Beiträge zur Aus- und Weiterbildung. Bad Heilbrunn: Klinkhardt, 2008. 296 S. ISBN: 978-3-7815-1642-7.

[66] ALINA-MIHAELA BUSAN. „Learning Styles of Medical Students – Implications in Education". In: Current Health Sciences Journal 40.2 (2014), S. 104–110. ISSN: 2067–0656. https://doi.org/10.12865/CHSJ.40.02.04. URL: https://www.ncbi.nlm.nih.gov/pmc/articles/PMC4340450/ (besucht am 21. 11. 2022).

[67] Noreen Maqbool Bokhari und Mubashir Zafar. „Learning styles and approaches among medical education participants". In: Journal of Education and Health Promotion 8 (30. Sep. 2019), S. 181. ISSN: 2277–9531. https://doi.org/10.4103/jehp.jehp_95_19. URL: https://www.ncbi.nlm.nih.gov/pmc/articles/PMC6796290/ (besucht am 21. 11. 2022).

[68] Daniel Hernández-Torrano, Syed Ali und Chee-Kai Chan. „First year medical students' learning style preferences and their correlation with performance in different subjects within the medical course". In: BMC Medical Education 17.1 (8. Aug. 2017), S. 131. ISSN: 1472–6920. https://doi.org/10.1186/s12909-017-0965-5. URL: https://doi.org/10.1186/s12909-017-0965-5 (besucht am 21. 11. 2022).

[69] Michèle Suhlmann u. a. „Belonging mediates effects of student-university fit on well-being, motivation, and dropout intention". In: Social Psychology 49 (2018). Place: Germany Publisher: Hogrefe Publishing, S. 16–28. ISSN: 2151–2590. https://doi.org/10.1027/1864-9335/a000325.

[70] Hilal Almarabeh, Ehab Amer und Amjad Sulieman. „The Effectiveness of Multimedia Learning Tools in Education". In: International Journal of Advanced Research in Computer Science and Software Engineering 5 (22. Dez. 2015), S. 761.

[71] Michael Herczeg. Software-Ergonomie: Theorien, Modelle und Kriterien für gebrauchstaugliche interaktive Computersysteme. Publication Title: Software-Ergonomie. Oldenbourg Wissenschaftsverlag, 16. Dez. 2009. ISBN: 978-3-486-59540-6. https://doi.org/10.1524/9783486595406. URL: https://www.degruyter.com/document/doi/10.1524/9783486595406/html (besucht am 21. 11. 2022).

[72] Alan Cooper. The Inmates are Running the Asylum. Accepted: 2017-11-22T13:37:06Z. B.G.Teubner, 1999. ISBN: 978-3-519-02694-5. URL: http://dl.gi.de/handle/20.500.12116/6644 (besucht am 21. 11. 2022).

[73] Deborah J. Mayhew. The usability engineering lifecycle: a practitioner's handbook for user interface design. The Morgan Kaufmann series in interactive technologies. San

Francisco, Calif: Morgan Kaufmann Publishers, 1999. 542 S. ISBN: 978-1-55860-561-9.

[74] Jürgen Enders und Christine Musselin. *Back to the Future? The Academic Professions in the 21st Century.* Paris: OECD, 19. Nov. 2008, S. 125–150. https://doi.org/10.1787/9789264040663-5-en. URL: https://www.oecd-ilibrary.org/education/higher-education-to-2030-volume-1-demography/back-to-the-futurethe-academic-professions-in-the-21st-century_9789264040663-5-en (besucht am 21. 11. 2022).

[75] Thomas Franke, Christiane Attig und Daniel Wessel. „A Personal Resource for Technology Interaction: Development and Validation of the Affinity for TechnologyInteraction (ATI) Scale". In: *International Journal of Human-Computer Interaction* 35.6 (3. Apr. 2019). Publisher: Taylor & Francis _eprint: https://doi.org/10.1080/10447318.2018.1456150, S. 456–467. ISSN: 1044-7318. https://doi.org/10.1080/10447318.2018.1456150. URL: https://doi.org/10.1080/10447318.2018.1456150 (besucht am 21. 11. 2022).

[76] Armin Mohi u. a. „Digitale Lehre 2020: Studenten schätzen die Aufmerksamkeit während einer Onlinevorlesung gleichwertig zu einer Präsenzvorlesung ein". In: *Der Ophthalmologe* 118.7 (1. Juli 2021), S. 652-658. ISSN: 1433-0423. https://doi.org/10.1007/s00347-021-01344-1. URL: https://doi.org/10.1007/s00347-021-01344-1 (besucht am 21. 11. 2022).

[77] Sue Beveridge. „Plugged in: Technology overload why too much tech can make teachers' lives harder". In: *Education Technology Solutions* 82 (). Publisher: Interactive Media Solutions, S. 22–24. https://doi.org/10.3316/informit.586856820783730. URL: https://search.informit.org/doi/abs/10.3316/INFORMIT.586856820783730 (besucht am 21. 11. 2022).

[78] Charles Graham u. a. „Redesigning the Teacher Education Technology Course to Emphasize Integration". In: *Computers in the Schools* 21.1 (7. Sep. 2004). Publisher: Routledge_eprint: https://doi.org/10.1300/J025v21n01_10, S. 127–148. ISSN: 0738-0569. https://doi.org/10.1300/J025v21n01_10. URL: https://doi.org/10.1300/J025v21n01_10 (besucht am 21. 11. 2022).

[79] Chris Evans und Nicola J. Gibbons. „The interactivity effect in multimedia learning". In: *Computers & Education* 49.4 (1. Dez. 2007), S. 1147–1160. ISSN: 0360–1315. https://doi.org/10.1016/j.compedu.2006.01.008. URL: https://www.sciencedirect.com/science/article/pii/S0360131506000285 (besucht am 22. 11. 2022).

[80] Sandra Cairncross und Mike Mannion. „Interactive Multimedia and Learning: Realizing the Benefits". In: *Innovations in Education and Teaching International* 38.2 (1. Jan. 2001). Publisher: Routledge _eprint: https://doi.org/10.1080/14703290110035428, S. 156–164. ISSN: 1470–3297. https://doi.org/10.1080/14703290110035428. URL: https://doi.org/10.1080/14703290110035428 (besucht am 21. 11. 2022).

[81] Lia Astuti, Yaya Wihardi und Diana Rochintaniawati. „The Development of Web-Based Learning Using Interactive Media for Science Learning on Levers in Human Body Topic". In: *Journal of Science Learning* 3.2 (2020). Publisher: Universitas Pendidikan Indonesia ERIC Number: EJ1251661, S. 89–98. ISSN: 2614-6568. URL: https://eric.ed.gov/?id=EJ1251661 (besucht am 22. 11. 2022).

[82]   Ekaterina Pechenkina und Carol Aeschliman. „What Do Students Want? Making Sense of Student Preferences in Technology-enhanced Learning". In: *Contemporary Educational Technology* 8.1 (16. Jan. 2017). ISSN: 1309517X. https://doi.org/10.30935/cedtech/6185. URL: https://www.cedtech.net/article/what-do-studentswant-making-sense-of-student-preferences-in-technology-enhancedlearning-6185 (besucht am 21. 11. 2022).

[83]   Shashank V. Joshi u. a. „The Use of Technology by Youth: Implications for Psychiatric Educators". In: *Academic Psychiatry* 43.1 (2019), S. 101–109. ISSN: 1042–9670. https://doi.org/10.1007/s40596-018-1007-2. URL: https://www.ncbi.nlm.nih.gov/pmc/articles/PMC6394428/ (besucht am 22. 11. 2022).

[84]   ofcom. „Adult's Media Use and Attitudes report 2020/21". In: (2021), S. 23. URL: https://www.ofcom.org.uk/__data/assets/pdf_file/0025/217834/adults-media-use-and-attitudes-report-2020-21.pdf.

[85]   Taiga Brahm und Marina Pumptow. „Students' Digital Media Usage at the University of Tübingen During the CoViD19 Semester 2020 Compared to 2018". In: *MedienPädagogik: Zeitschrift für Theorie und Praxis der Medienbildung* 40 (13. Nov. 2021), S. 118–137. ISSN: 1424–3636. https://doi.org/10.21240/mpaed/44/2021.11.13.X. URL: https://www.medienpaed.com/article/view/1239 (besucht am 22. 11. 2022).

[86]   Lynne Ciochetto. „The Impact of New Technologies on Leisure in Developed and Emerging Economies". In: *International and Multidisciplinary Journal of Social Sciences* 4.2 (30. Juli 2015). Number: 2, S. 194–214. ISSN: 2014–3680. https://doi.org/10.17583/rimcis.2015.1565. URL: https://www.hipatiapress.com/hpjournals/index.php/rimcis/article/view/1565 (besucht am 22. 11. 2022).

[87]   Brad Deacon und Richard Miles. „University Students Want More Interactive Lectures". In: (), S. 7.

[88]   Samarth Singhal u. a. „Augmented Chemistry: Interactive Education System". In: *International Journal of Computer Applications* 49 (28. Juli 2012). https://doi.org/10.5120/7700-1041.

[89]   Tamara Vagg u. a. „Multimedia in Education: What do the Students Think?" In: *Health Professions Education* 6.3 (1. Sep. 2020), S. 325–333. ISSN: 2452–3011. https://doi.org/10.1016/j.hpe.2020.04.011. URL: https://www.sciencedirect.com/science/article/pii/S2452301120300511 (besucht am 21. 11. 2022).

[90]   Nan Guan, Jianxi Song und Dongmei Li. „On the Advantages of Computer Multimedia-aided English Teaching". In: *Procedia Computer Science*. Recent Advancement in Information and Communication Technology: 131 (1. Jan. 2018), S. 727–732. ISSN: 1877–0509. https://doi.org/10.1016/j.procs.2018.04.317. URL: https://www.sciencedirect.com/science/article/pii/S1877050918306975 (besucht am 21. 11. 2022).

[91]   Mieke Miarsyah u. a. „Lekersmulia: Improving Indonesian Students' Environmental Responsibility Using Multimedia in Environmental Learning". In: *International Journal of Scientific & Technology Research* 8 (22. Dez. 2019), S. 1639–1643.

[92]   Akbar Iskandar u. a. „The Effects of Multimedia Learning on Students Achievement in Terms of Cognitive Test Results". In: *Journal of Physics*: Conference Series 1114.1 (Nov. 2018). Publisher: IOP Publishing, S. 012019. ISSN: 1742–6596. https://doi.org/10.1088/1742-6596/1114/1/012019. URL: https://dx.doi.org/10.1088/1742-6596/1114/1/012019 (besucht am 21. 11. 2022).

[93]   Ruth Colvin Clark. „Multimedia learning in e-courses". In: *The Cambridge handbook of multimedia learning*, 2nd ed. Cambridge handbooks in psychology. New York, NY, US: Cambridge University Press, 2014, S. 842–881. ISBN: 978-1-107- 61031-6 978-1-107-03520-1 978-1-139-99016-5. https://doi.org/10.1017/CBO9781139547369.040.

[94]   Karl Maton. „Cumulative and segmented learning: exploring the role of curriculum structures in knowledge building". In: *British Journal of Sociology of Education* 30.1 (1. Jan. 2009). Publisher: Routledge _eprint: https://doi.org/10.1080/01425690802514342, S. 43–57. ISSN: 0142–5692. https://doi.org/10.1080/01425690802514342. URL: https://doi.org/10.1080/01425690802514342 (besucht am 21. 11. 2022).

[95]   Ilyas Mattmann. „INCREASING SYSTEM UNDERSTANDING AND MOTIVATION IN STUDENTS USING NOVEL INTERACTIVE LEARNING METHODS". In: *Proceedings of the Canadian Engineering Education Association (CEEA)* (21. Nov. 2017). ISSN: 2371–5243. https://doi.org/10.24908/pceea.v0i0.7350. URL: https://ojs.library.queensu.ca/index.php/PCEEA/article/view/7350 (besucht am 21. 11. 2022).

[96]   Kristinn R. Thórisson u. a. „Cumulative Learning". In: *Artificial General Intelligence*. Hrsg. von Patrick Hammer u. a. Lecture Notes in Computer Science. Cham: Springer International Publishing, 2019, S. 198–208. ISBN: 978-3-030-27005-6. https://doi.org/10.1007/978-3-030-27005-6_20.

[97]   David Robotham. „Stress among higher education students: towards a research agenda". In: *Higher Education* 56.6 (1. Dez. 2008), S. 735–746. ISSN: 1573–174X. https://doi.org/10.1007/s10734-008-9137-1. URL: https://doi.org/10.1007/s10734-008-9137-1 (besucht am 22. 11. 2022).

[98]   Christin Bergmann, Thomas Muth und Adrian Loerbroks. „Medical students' perceptions of stress due to academic studies and its interrelationships with other domains of life: a qualitative study". In: *Medical Education Online* 24.1 (1. Jan. 2019). Publisher: Taylor & Francis_eprint: https://doi.org/10.1080/10872981.2019.1603526, S. 1603526. ISSN: null. https://doi.org/10.1080/10872981.2019.1603526. URL: https://doi.org/10.1080/10872981.2019.1603526 (besucht am 22. 11. 2022).

[99]   Kurt W. Koeder. *Studienmethodik: Selbstmanagement für Studienanfänger*. 4., überarb. und erw. Aufl. WiSt-Taschenbücher. München: Vahlen, 2007. 240 S. ISBN: 978-3-8006-3481-1.

[100] Hermann Ebbinghaus. *Über das Gedächtnis: Untersuchungen zur experimentellen Psychologie*. Bibliothek klassischer Texte. Darmstadt: WBG, 2011. ISBN: 978-3-534-24012-8.

[101] Sakineh Nabizadeh u. a. „Prediction of academic achievement based on learning strategies and outcome expectations among medical students". In: *BMC Medical Education* 19.1 (5. Apr. 2019), S. 99. ISSN: 1472–6920. https://doi.org/10.1186/s12909-019-1527-9. URL: https://doi.org/10.1186/s12909-019-1527-9 (besucht am 22. 11. 2022).

[102] Dr. Candidate, Graduate School, Universitas Negeri Malang, Lecturer in Universitas Panca Marga Probolinggo, Indonesia, helga.graciani.1601139@students. um.ac.id u. a. „Why I'm Bored in Learning? Exploration of Students' Academic Motivation". In: *International Journal of Instruction* 13.3 (1. Juli 2020), S. 119–136. ISSN: 1694609X, 13081470. https://doi.org/10.29333/iji.2020.1339a. URL: http://www.e-iji.net/dosyalar/iji_2020_3_9.pdf (besucht am 21. 11. 2022).

[103] Daniel Macher u. a. „Statistics anxiety, trait anxiety, learning behavior, and academic performance". In: *European Journal of Psychology of Education* 27.4 (1. Dez. 2012), S. 483–498. ISSN: 1878–5174. https://doi.org/10.1007/s10212-011-0090-5. URL: https://doi.org/10.1007/s10212-011-0090-5 (besucht am 22. 11. 2022).

[104] Jesse Schell. *The art of game design: a book of lenses*. Third edition. Boca Raton: Taylor & Francis, a CRC title, part of the Taylor & Francis imprint, a member of the Taylor & Francis Group, the academic division of T&F Informa, plc, 2019. ISBN: 978-1-138-63205-9 978-1-138-63209-7.

[105] Richard Bartle. „Hearts, clubs, diamonds, spades: Players who suit MUDs". In: (1. Juni 1996).

[106] Dan Dixon. „Player Types and Gamification". In: (), S. 4.

[107] Dmitri Williams, Nick Yee und Scott E. Caplan. „Who plays, how much, and why? Debunking the stereotypical gamer profile". In: *Journal of Computer-Mediated Communication* 13.4 (1. Juli 2008), S. 993–1018. ISSN: 1083–6101. https://doi.org/10.1111/j.1083-6101.2008.00428.x. URL: https://doi.org/10.1111/j.1083-6101.2008.00428.x (besucht am 22. 11. 2022).

[108] John Pruitt und Jonathan Grudin. „Personas: practice and theory". In: *Proceedings of the 2003 conference on Designing for user experiences*. DUX '03. New York, NY, USA: Association for Computing Machinery, 6. Juni 2003, S. 1–15. ISBN: 978-1-58113-728-6. https://doi.org/10.1145/997078.997089. URL: https://doi.org/10.1145/997078.997089 (besucht am 06. 12. 2022).

[109] Alvaro López Revuelta. „Orientation estimation and movement recognition using low cost sensors". In: (2017), S. 79. URL: https://www.diva-portal.org/smash/get/diva2:1127455/FULLTEXT02.pdf.

[110] Tariqul Islam u. a. „Comparison of complementary and Kalman filter based data fusion for attitude heading reference system". In: *AIP Conference Proceedings* 1919.1 (28. Dez. 2017). Publisher: American Institute of Physics, S. 020002. ISSN: 0094–243X. https://doi.org/10.1063/1.5018520. URL: https://aip.scitation.org/doi/abs/10.1063/1.5018520 (besucht am 22. 11. 2022).

[111] David Goldberg. „What every computer scientist should know about floatingpoint arithmetic". In: *ACM Computing Surveys* 23.1 (März 1991), S. 5–48. ISSN: 0360-0300, 1557-7341. https://doi.org/10.1145/103162.103163. URL: https://dl.acm.org/doi/10.1145/103162.103163 (besucht am 22. 11. 2022).

[112] Michael Schünke u. a. Prometheus. *Allgemeine Anatomie und Bewegungssystem*. 6., vollständig überarbeitete und erweiterte Auflage. Stuttgart New York: Georg Thieme Verlag, 2022. 631 S. ISBN: 978-3-13-244413-3.

[113] Saurabh Zunke und Veronica D'Souza. „JSON vs XML: A Comparative Performance Analysis of Data Exchange Formats". In: 3.4 (2014), S. 5.

[114] Vincent C. Emeakaroha u. a. „Analysis of Data Interchange Formats for Interoperable and Efficient Data Communication in Clouds". In: 2013 IEEE/ACM 6th *International Conference on Utility and Cloud Computing*. 2013 IEEE/ACM 6th International Conference on Utility and Cloud Computing. Dez. 2013, S. 393–398. https://doi.org/10.1109/UCC.2013.79.

[115] Rickard Hagström. Frames That Matter : *The Importance of Frames per Second in Games*. 2015. URL: http://urn.kb.se/resolve?urn=urn:nbn:se:uu:diva-263379 (besucht am 06. 12. 2022).

[116]   Benjamin F. Janzen und Robert J. Teather. „Is 60 FPS better than 30? the impact of frame rate and latency on moving target selection". In: *CHI '14 Extended Abstracts on Human Factors in Computing Systems*. CHI EA '14. New York, NY, USA: Association for Computing Machinery, 26. Apr. 2014, S. 1477–1482. ISBN: 978-1-4503-2474-8. https://doi.org/10.1145/2559206.2581214. URL: https://doi.org/10.1145/2559206.2581214 (besucht am 06. 12. 2022).

[117]   Yang Yu u. a. „Technology of short-distance wireless communication and its application based on equipment support". In: ADVANCES IN MATERIALS, MACHINERY, ELECTRONICS II: Proceedings of the 2nd International Conference on Advances in Materials, Machinery, Electronics (AMME 2018). Xi'an City, China, 2018, S. 040135. https://doi.org/10.1063/1.5033799. URL: http://aip.scitation.org/doi/abs/10.1063/1.5033799 (besucht am 22. 11. 2022).

[118]   Andrew S. Tanenbaum und Maarten van Steen. *Verteilte Systeme: Prinzipien und Paradigmen*. 2., aktualisierte Auflage. it-informatik. München Harlow Amsterdam Madrid Boston San Francisco Don Mills Mexico City Sydney: Pearson, 2008. 761 S. ISBN: 978-3-8273-7293-2.

[119]   Cathie LeBlanc. „What is Game Design?" In: (2020). Book Title: Creating Games. URL: https://creatinggames.press.plymouth.edu/chapter/whatis-game-design/ (besucht am 13. 12. 2022).

Online

[120]   destatis. *Hochschulen*. Statistisches Bundesamt. 2022. URL: https://www.destatis.de/DE/Themen/Gesellschaft-Umwelt/Bildung-Forschung-Kultur/Hochschulen/_inhalt.html (besucht am 02. 03. 2023).

[121]   EDUCATIONRICKSHAW. *After 100 Years of the Same Teaching Model It's Time to Throw Out the Playbook*. Education Rickshaw. 2. Dez. 2017. URL: https://educationrickshaw.com/2017/12/02/after-100-years-of-the-same-teaching-model-its-time-to-throw-out-the-playbook/ (besucht am 01. 03. 2023).

[122]   Technische Universität München. *Grundprinzipien und Erfolgsfaktoren guter Hochschullehre*. 2022. URL: https://www.prolehre.tum.de/prolehre/materialien-und-tools/broschueren/ (besucht am 23. 04. 2023).

[123]   EdTechnology. *Top 11 Current Trends in Educational Technology*. https://edtechnology.co.uk. URL: https://edtechnology.co.uk/sponsored/top-11-current-trends-in-educational-technology/ (besucht am 21. 11. 2022).

[124]   Son Tung Bui. *6 Educational Technology Trends That Go All Out In 2022*. eLearning Industry. 6. Jan. 2022. URL: https://elearningindustry.com/educational-technology-trends-that-go-all-out-in-2022 (besucht am 23. 11. 2022).

[125]   Adam Gante. *Education Technology Trends*. Powergistics. 2. März 2022. URL: https://powergistics.com/education-technology-trends/ (besucht am 23. 11. 2022).

[126]   ExplodingTopics. *The 8 Most Interesting EdTech Trends Of 2022*. Exploding Topics. 1. Juli 2020. URL: https://explodingtopics.com/blog/edtech-trends (besucht am 23. 11. 2022).

[127]   Auvik Networks und Rebecca Grassing. *Trends in Education Networking*. Auvik Networks Inc. 1. März 2022. URL: https://www.auvik.com/franklyit/blog/education-networking-trends/ (besucht am 23. 11. 2022).

[128] Vishal Dani. *8 Trends in Education Technology That Will Have A Major Impact*. Kitaboo. 27. Aug. 2022. URL: https://kitaboo.com/trends-in-educationtechnology/ (besucht am 23. 11. 2022).

[129] Bernard Marr. *The Five Biggest Education And Training Technology Trends In 2022*. Forbes. Section: Enterprise Tech. URL: https://www.forbes.com/sites/bernardmarr/ 2022/02/18/the-five-biggest-education-and-trainingtechnology-trends-in-2022/ (besucht am 23. 11. 2022).

[130] Kellton. *What are the education technology trends in 2022?* URL: https://www.kellton. com/kellton-tech-blog/technology-trends-in-educationencouraging-sustainable-transformation-2022 (besucht am 23. 11. 2022).

[131] Iza Rokita Hacker Growth. *10 Most Interesting and User Friendly Examples of Educational Softwaress*. 1. Mai 2022. URL: https://blog.railwaymen.org/10-most-interesting-and-user-friendly-examples-of-education-software (besucht am 24. 11. 2022).

[132] Leibniz-Institut für Wissensmedien. *Lernmanagement-Systeme (LMS) – eteaching*. Org. 22. Apr. 2016. URL: https://www.e-teaching.org/technik/distribution/ lernmanagementsysteme (besucht am 30. 03. 2023).

[133] Moodle. *Lernerfolg mit Moodle*. 2022. URL: https://moodle.de/ (besucht am 24. 11. 2022).

[134] Katja Drasdo. *Moodle an Hochschulen e. V. – Interessensvertretung für die digitale Bildungsplattform*. E-Learning Zentrum. 30. Nov. 2021. URL: https://blog. hwrberlin.de/elerner/moodle-an-hochschulen-e-v-interessensvertretungfuer-die-digitale-bildungsplattform/ (besucht am 24. 11. 2022).

[135] Duolingo. *Kostenloser Sprachunterricht*. Duolingo. 2022. URL: https://de.duolingo. com/ (besucht am 24. 11. 2022).

[136] Polaris Market Research. *Game-Based Learning Market Size Global Report, 2022–2030*. Polaris. 1. Mai 2022. url: https://www.polarismarketresearch.com/ (besucht am 30. 03. 2023).

[137] Osmo. *Moderne Programmier-Spiele für Kinder von 5–10 Jahren | Osmo*. 2022. URL: https://www.playosmo.com/de/shopping/kits/coding/ (besucht am 24. 11. 2022).

[138] Gamify. *What is Gamification? Education, Business & Marketing (2021 Examples)*. URL: https://www.gamify.com/what-is-gamification (besucht am 25. 11. 2022).

[139] Huitt. *Educational Psychology Interactive: Motivation. 2011*. URL: http://www. edpsycinteractive.org/topics/motivation/motivate.html (besucht am 25. 11. 2022).

[140] Reinhard Pekrun. *Emotions and learning – UNESCO Digital Library. 2014*. URL: https://unesdoc.unesco.org/ark:/48223/pf0000227679 (besucht am 25. 11. 2022).

[141] David Ho. *The gamification of the workplace has benefits for everyone | ACCA Global. 2020*. URL: https://www.accaglobal.com/vn/en/member/member/ accounting-business/2020/01/corporate/gamification-workplace.html#:~:text=In %20a%20recent%20survey%20by,happier%20(88%25)%20at%20work (besucht am 25. 11. 2022).

[142] Matteucci. *Lifesaver*. UNIT9. 2013. URL: https://www.unit9.com/project/lifesaver-cpr (besucht am 25. 11. 2022).

[143] BioDigital. *Interactive 3D Anatomy – Disease Platform*. BioDigital. 2022. URL: https://www.biodigital.com/ (besucht am 25. 11. 2022).

[144] BioDigital. *Build a 3D quiz in Human Studio.* Human Support. 2022. URL: https://support.biodigital.com/hc/en-us/articles/1500010269662-Build-a-3D-quiz-in-Human-Studio (besucht am 25. 11. 2022).

[145] *Vorlesungen optimal nutzen – Prüfung – Via medici.* Thieme Via medici. URL: https://www.thieme.de/viamedici/vorklinik-lern-und-pruefungstipps-1499.htm/a/vorlesungen-optimal-nutzen-5371.htm (besucht am 21. 11. 2022).

[146] Dr Jan Höpker. *Warum Lerntypen keine Stärken sondern Schwächen sind.* HabitGym. 1. Jan. 2022. URL: https://www.habitgym.de/lerntypen/ (besucht am 05. 12. 2022).

[147] *Die Vergessenskurve nach Dr. Ebbinghaus | NeuroNation.* 30. Apr. 2016. URL: https://blog.neuronation.com/de/die-vergessenskurve-nach-dr-ebbinghaus/ (besucht am 21. 11. 2022).

[148] *Studierende in Deutschland nach Alter 2021/2022.* Statista. URL: https://de.statista.com/statistik/daten/studie/1166109/umfrage/anzahl-der-studenten-an-deutschen-hochschulen-nach-alter/ (besucht am 21. 11. 2022).

[149] Sue Beveridge. *Technology Overload – Why Too Much Tech Can Make Teachers' Lives Harder.* Education Technology Solutions. Section: Featured. 5. Juni 2018. URL: https://educationtechnologysolutions.com/2018/06/technologyoverload-why-too-much-tech-can-make-teachers-lives-harder/ (besucht am 21. 11. 2022).

[150] *Digital learning.* www.daad.de. URL: https://www.daad.de/en/study-andresearch-in-germany/plan-your-studies/digital-learning/ (besucht am 22. 11. 2022).

[151] Michaelseanin Ago. *How Students Spend Their Leisure Time.* Steemit. 14. Apr. 2020. URL: https://steemit.com/education/@michaelsean/how-studentsspend-their-leisure-time (besucht am 22. 11. 2022).

[152] Richard Van Eck. *Digital Game-Based Learning: It's Not Just the Digital Natives Who Are Restless.* 2006. URL: https://er.educause.edu/articles/2006/3/digital-gamebased-learning-its-not-just-the-digital-natives-whoare-restless (besucht am 06. 12. 2022).

[153] BareConductive. *What Is Electric Paint: The Composition and Application of Conductive Paints.* Bare Conductive. 2022. URL: https://www.bareconductive.com/blogs/blog/what-is-electric-paint-the-composition-and-application-of-conductive-paints (besucht am 22. 11. 2022).

[154] *Touch Board.* Bare Conductive. URL: https://www.bareconductive.com/collections/touch-board (besucht am 22. 11. 2022).

[155] BareConductive. *Pi Cap. Bare Conductive.* URL: https://www.bareconductive.com/collections/pi-cap (besucht am 22. 11. 2022).

[156] FieldScale. *1.3 Introduction to capacitive touch sensors.* Fieldscale. 2022. URL: https://fieldscale.com/learn-capacitive-sensing/intro-to-capacitive-touch-sensors/ (besucht am 22. 11. 2022).

[157] *MPU6050 6-DoF Accelerometer and Gyro.* Adafruit Learning System. URL: https://learn.adafruit.com/mpu6050-6-dof-accelerometer-and-gyro/overview (besucht am 22. 11. 2022).

[158] TDK. *MPU-9250 | TDK.* 2022. URL: https://invensense.tdk.com/products/motion-tracking/9-axis/mpu-9250/ (besucht am 22. 11. 2022).

[159] RaspberryPiLtd. *Buy a Raspberry Pi 4 Model B.* Raspberry Pi. 2022. URL: https://www.raspberrypi.com/products/raspberry-pi-4-model-b/ (besucht am 22. 11. 2022).

[160] Arduino. *ArduinoBLE – Arduino Reference.* URL: https://www.arduino.cc/reference/en/libraries/arduinoble/ (besucht am 22. 11. 2022).

[161] Arduino. *WiFi – Arduino Reference*. URL: https://www.arduino.cc/reference/en/libraries/wifi/ (besucht am 22. 11. 2022).

[162] Moodle. *API Guides | Moodle Developer Resources*. 2022. URL: https://moodledev.io/docs/apis (besucht am 22. 11. 2022).

[163] BillWagner. *Numerische Gleitkommatypen – C#-Referenz*. 2022. URL: https://learn.microsoft.com/de-de/dotnet/csharp/language-reference/builtin-types/floating-point-numeric-types (besucht am 22. 11. 2022).

[164] CodeAcademy. *C++ | Data Types*. Codecademy. 2022. URL: https://www.codecademy.com/resources/docs/cpp/data-types (besucht am 22. 11. 2022).

[165] W3Schools. *Java Data Types*. 2022. URL: https://www.w3schools.com/java/java_data_types.asp (besucht am 22. 11. 2022).

[166] 3BScientific. *Flexibles Wirbelsäulenmodell "Klassik 3B Smart Anatomy – 1000121 – A58/1 – Wirbelsäulenmodelle – 3B Scientific*. 2022. URL: https://www.3bscientific.com/de/flexibles-wirbelsaeulenmodell-klassik-3b-smart-anatomy-1000121-a581-3b-scientific,p_57_110.html (besucht am 22. 11. 2022).

[167] Vinicius Fulber Garcia. *Messages: Payload, Header, and Overhead | Baeldung on Computer Science*. 23. Nov. 2021. URL: https://www.baeldung.com/cs/messages-payload-header-overhead (besucht am 22. 11. 2022).

[168] Ropaku. *What is Frame Rate? Why does the Frame Rate matter?* Ropaku. 23. Jan. 2019. URL: https://www.ropaku.com/what-is-frame-rate-why-does-theframe-rate-matter-what-is-frame-time/ (besucht am 22. 11. 2022).

[169] Statista. *Computerausstattung – WLAN, Bluetooth oder UMTS 2015*. Statista. 2015. URL: https://de.statista.com/statistik/daten/studie/170230/umfrage/computerausstattung---geraete-zur-drahtlosen-vernetzung-mobilitaet/ (besucht am 22. 11. 2022).

[170] Adhyoksh Jyoti. *Short-range wireless communication technology and its variants*. IoTEDU. 11. Okt. 2020. URL: https://iot4beginners.com/short-range-wireless-communication-technology-and-its-variants/ (besucht am 22. 11. 2022).

[171] Tutorials for Raspberry Pi. *Raspberry Pi vs. Arduino: Welcher ist der Bessere (für Anfänger)?* Tutorials for Raspberry Pi. 16. Mai 2021. URL: https://tutorialsraspberrypi.de/raspberry-pi-vs-arduino-welcher-ist-der-besserefuer-anfaenger/ (besucht am 23. 02. 2023).

[172] Gareth Halfacree. *Benchmarking the Raspberry Pi 4*. Medium. 22. Nov. 2019. URL: https://medium.com/@ghalfacree/benchmarking-the-raspberry-pi-4-73e5afbcd54b (besucht am 23. 02. 2023).

[173] Arnold Abraham. *Game Engines: Guide to pick the right!* Medium. 24. Dez. 2020. URL: https://arnoldcode.medium.com/game-engines-guide-to-pick-theright-16b843905ba6 (besucht am 22. 11. 2022).

[174] Lindsay Schardon. *Best Game Engines for 2023 – Which Should You Use?* GameDev Academy. Section: Career Advice. 3. Okt. 2022. URL: https://gamedevacademy.org/best-game-engines/ (besucht am 22. 11. 2022).

[175] GDQuest. *Choosing the right game engine · GDQuest*. GDQuest. 18. Aug. 2020. URL: https://gdquest.com/tutorial/getting-started/learn-to/choosing-agame-engine/ (besucht am 22. 11. 2022).

[176] Abhinav Narain. *6 Crucial Questions to Ask Before Choosing Your Game Engine*. Black Shell Media. 29. Sep. 2016. URL: https://blackshellmedia.com/2016/09/29/6-crucial-questions-ask-choosing-game-engine/ (besucht am 22. 11. 2022).

[177] Zazmic. *How to Choose a Game Engine.* Zazmic. 18. Juli 2013. URL: https://www.zazmic.com/choose-game-engine/ (besucht am 22. 11. 2022).

[178] Marcus Toftedahl und 2019. *Which are the most commonly used Game Engines?* Game Developer. Section: production. 30. Sep. 2019. URL: https://www.gamedeveloper.com/production/which-are-the-most-commonly-used-gameengines- (besucht am 22. 11. 2022).

[179] ItchIo. *Most used Engines. itch.io. 2022.* URL: https://itch.io/game-development/engines/most-projects (besucht am 22. 11. 2022).

[180] Anthony Doucet. *Unity in the Unity3D community.* Medium. 8. Apr. 2019. URL: https://medium.com/@barcode951/unity-in-the-unity3d-community-5c9cdf7df1be (besucht am 06. 12. 2022).

[181] UnityTechnology. *Unity Real-Time Development Platform I 3D, 2D VR & AR Engine.* 2022. URL: https://unity.com/ (besucht am 22. 11. 2022).

[182] Bundesministerium der Justiz. *ÄApprO 2002 – Approbationsordnung für Ärzte.* 2022. URL: https://www.gesetze-im-internet.de/_appro_2002/BJNR240500002.html (besucht am 14. 12. 2022).

[183] Steph Chow. *Three Ways to Visually Convey Progression in Games.* SUPERJUMP. 12. Nov. 2018. URL: https://medium.com/superjump/three-ways-to-visually-convey-progression-in-games-abc60bbccb (besucht am 14. 12. 2022).

[184] PokémonWiki. *Pokémon Wiki.* 2022. URL: https://pokemon.fandom.com/wiki/Pok%C3%A9mon_Wiki (besucht am 14. 12. 2022).

[185] mobiflip. *Duolingo: Neue Kronen-Level für tieferes Sprachverständnis.* mobiFlip.de. 15. Apr. 2018. URL: https://www.mobiflip.de/duolingo-neue-kronen-level-fuer-tieferes-sprachverstaendnis/ (besucht am 17. 12. 2022).

[186] duolingo. *Streak in Duolingo.* Duolingo Blog. 31. Jan. 2022. URL: https://blog.duolingo.com/how-duolingo-streak-builds-habit/ (besucht am 17. 12. 2022).

[187] Fitz-Walter Zac und Massimo Ingegno. *How to design an effective strea*k. 16. Okt. 2022. URL: https://www.makeit.tools/blogs/how-to-design-an-effective-streak-2 (besucht am 17. 12. 2022).

[188] Studio Hamburg Enterprises GmbH. *Es war einmal ... das Leben.* 2. Apr. 2023. URL: https://www.hellomaestro.de/das-leben (besucht am 02. 04. 2023).

[189] Bosch Sensortec. *Smart Sensor BNO055.* Bosch Sensortec. 3. Feb. 2023. URL: https://www.bosch-sensortec.com/products/smart-sensors/bno055/ (besucht am 03. 02. 2023).

[190] Dew Drop- March 23 und 2018-Morning Dew says. *Bluetooth from Unity.* In The Hand Ltd. 22. März 2018. URL: https://inthehand.com/2018/03/22/bluetooth-from-unity/ (besucht am 03. 02. 2023).

[191] Jakob Nielsen. *10 Usability Heuristics for User Interface Design. Nielsen Norman Group.* 2020. URL: https://www.nngroup.com/articles/ten-usability-heuristics/ (besucht am 05. 04. 2023).

[192] amboss. *Medizinwissen, auf das man sich verlassen kann I AMBOSS.* 5. Apr. 2023. URL: https://www.amboss.com/de (besucht am 05. 04. 2023).

[193] Behnam Mehrafrooz. *Game Art Design: 12 Principles That You Should Know.* Section: Game. 2020. URL: https://pixune.com/11-principles-of-gameart-design/ (besucht am 17. 12. 2022).

Printed in the United States
by Baker & Taylor Publisher Services

Printed in the United States
by Baker & Taylor Publisher Services